JN057338

魂の声をあげる

現代史としてのラップ・フランセ

陣野俊史

LE CRI DE L'ÂME RAP FRANÇAIS D'AUJOURD'HUI

JINNO TOSHIFUMI

Après-midi

魂の声をあげる

現代史としてのラップ・フランセ

【目次】

はじめに …… 008

序章 30年が過ぎて……
TRENTE ANS SONT PASSÉS...

アメリカを忘れる …… 018

第1章 「暴動」のあとさき
AVANT ET APRÈS L'ÉMEUTE

113 地元の仲間 …… 032

ディアムス ある女性ラッパーの変遷 …… 039

ブーバ アルゴの創造者 …… 052

ホーカス・ポーカス　ジャズ・ラップの雄 …… 061
イディールとリム・カ　アルジェリアの風 …… 068
マフィア・カン・アフリ　ヒップホップ・コレクティヴ …… 074
ラ・コシオンとＴＴＣ　一発屋たち …… 084
アブダル・マリクとメディーヌ　９・11と宗教とラップ …… 087

第２章　サルコジに抗して

CONTRE SARKO

ケニー・アルカナ　人類へ …… 098
ケリー・ジェイムス　ヤバい兄貴 …… 110
ＨＫ・エ・レ・サルタンバンク　ストリートの匂い …… 124
オレルサン「オレルさん」…… 137

LE CRI DE L'ÂME
FRANÇAIS D'AUJOURD'HUI

ロセ 「一人」であり「複数」……157
カゼー 猛獣の棲むバンリュー……164
ユースーファ ネグリチュードのラッパー……178
ゼフュ サッカー少年の未来……189
クリュブ・デ・ルーザーとバロジ……199
フランス語圏のラップ ヤナマール運動……207

第3章 シャルリ・エブド襲撃事件

ATTENTAT CONTRE CHARLIE HEBDO

事件の余波……214
グラン・コール・マラッド 移動の自由……222
アブダル・マリク 新しい「普遍」へ……234

第4章　アダマのために正義を

JUSTICE POUR ADAMA

アダマ・トラオレの死……248
『キングコング・セオリー』と #MeToo……270
アンジェル「あなたの何かを晒せ」……273
シラとラ・ピエタ　フェミニストとして……280
アヤ・ナカムラ　愛を歌うラッパー……289

第5章　移民たち

LES IMMIGRÉS

ビッグフロ&オリ　いつかまた……299
ギムス　もっとも成功したラッパー……312

ガエル・ファイユ　小さな国で …… 325
ネクフ　さまよう魂たち …… 336

第6章　ラーメン、マンガ、ネイション

RAMEN, MANGA ET NATION

スズヤ「きみ」と「ぼく」の世界 …… 348
いま・ここにあるネイション …… 355

あとがき …… 360
主要参考文献 …… 365

本書について

■本書の内容は 2022 年 3 月時点のものです。

■楽曲の歌詞はおもに GENIUS（https://genius.com/）を参考にしています。

■URL・QR コードは、アーティストの公式サイト、YouTube のアーティスト公式チャンネル、または Spotify に楽曲があるものに限って掲載しています。サイト側の都合でリンクが切れたり、ページがなくなったりする可能性があります。ご了承ください。

■本文に出てくるフランス語は、原語に近い発音のカタカナのルビを振っております。発音には個人差がありますのでご了承ください。

■初登場の作品名は基本的に
《アルバムタイトルフランス語（日本語訳）》
〈楽曲タイトルフランス語（日本語訳）〉
と表記しております。2 回以上出てくるものに関しては日本語タイトルのみ記載しております。
例：初登場時は〈Soldat De Plomb（以下、鉛の兵隊）〉、以降は〈鉛の兵隊〉

LE CRI DE L'ÂME
FRANÇAIS D'AUJOURD'HUI

はじめに

これからこの本を読む、未知の読者へ。

なんだ、フランスのラップの本か、と思うかもしれない。フランス語がわからない人はたぶん退屈な本なのだろう、と考える可能性もある。だが、おそらく事実はそうではない。大事なのは、リリックや声を含め、音楽としてその曲が魅力的かどうかなのだ。

どれだけ立派な主張をしていても、音楽としてつまらなければ繰り返し聴くことはできない。つい何回もリピートしてしまうのは、それが「うた」としてカッコよくできているからにほかならない。私は、英語のラップを聴く習慣はじつはあまりないけれど、聴くと、うわっと思う。なんてカッコいいのだ、と感動する。おそらく英語の響きとラップのリズムとが見事に融合しているからだ。一方、日本語ラップやフランスのラップを聴くと、違和感がある。作家の多和田葉子[1]さんなら小石がぱらぱらと降ってくるような、とても形容する（だろう）違和感だ。翻訳されたものの違和感、といってもいい。このごつごつした感じって何だろう。そう思って、私たちは日本語

1　**多和田葉子**…ベルリン在住の作家。1993年『犬婿入り』で芥川賞、2016年にドイツ語で執筆した作品でクライスト賞、2018年『献灯使』で全米図書賞（翻訳文学部門）を受賞。

の、フランス語のラップに耳を傾ける。このとき、たぶんリリックの意味はどうでもいい。どうでもいいは端的に言い過ぎなのだが、まあ、どうでもいい。違和感こそがクセになる。ごつごつ感を確認するために、私たちは繰り返し、その音楽を聴く。ハマる。意味なんか気にしない。少なくとも最初は。

どんなことを言っているのか。本書では私が（力の及ぶ範囲で）訳して説明する。その曲がどのような社会的背景から出てきた音楽なのか、できるかぎり詳しく述べる。そのとき、問題はフランスだけに限定されるものではないことがわかるはずだ。きっと。

本題に入ろう。あらためて、この本はフランスのラップ・ミュージックに関する主題を扱っている。とはいえ、フランスのラップ全史を網羅的に記述した本ではない（そうした本を書こうとしたこともあるが、かなりカタログ的な書き方にならざるを得ず、意図とは違うのでやめた）。おもに二〇〇五年秋の「暴動」以後、のラップを論じている。

そもそも、二〇〇五年秋の「暴動」とは何か。それ以前と以後では何が違うのか。「暴動」という呼称は正確なのか。前提となる事柄なので、そのあたりに最初に触れよう。

じつは「暴動」とラップの関連について私は一冊、書いたことがある。『フランス暴動　移民法とラップ・フランセ』（河出書房新社、2006）というタイトルの本だったが、出発点となることでもあるし、重複を怖れず書いてみる。

二〇〇五年十月二十七日、フランスのパリ北東部にあるクリシー・ス・ボアという街で事件は起こる。警察官の職務質問を逃れた三人の北アフリカ系の少年たちが変電所に逃げ込み、うち二人が感電死してしまう。二人の名前は、ジエド・ベンナとブーナ・トラオレ。それぞれ十七歳と十五歳だった。青年と呼ぶにはあまりに若い二人の死は、大きな波紋を呼ぶ。警察への抗議のため、おおよそ三週間にわたって毎晩数百台の車が燃やされ、夜間外出禁止令が発動された地方共同体もあった。当時首相を務めていたドミニク・ド・ヴィルパン[2]が、ジエドとブーナの遺族に面会し、事件の調査を約束したのは十一月一日。だがラップとの関わりでいえば、政治家の意識はもっとずっと違った。ラッパーを、暴動の煽動者として告発しようとする（あえて言うが）邪悪な動きもあった。当時の日本の新聞から引用する。

> 十～十一月にフランス各地で起きた暴動をめぐり、若者に人気のラップ音楽が暴動をあおったかどうかという論争が国内で起きている。上下両院の議員有志が「ラップが仏社会への憎しみをかきたてている」としてラップ歌手を告発する動きを見せているが、ドビルパン首相は「ラップに責任はない」と弁護している。
>
> 国民議会（下院）議員一五三人と上院議員四十九人がこのほど、ラップ歌手七グルー

2 ドミニク・ド・ヴィルパン…フランスの政治家。
2005-2007年にフランス第18代首相を務めた。

プの訴追を求める署名をクレマン法相に提出した。白人や女性、ユダヤ人を敵視や軽視したような歌詞が暴力を助長したと主張。「こんなものを日がな聴き続けていれば、警察官や、自分たちと異なる人々を見かけてかっとなるのも無理はない」と代表格の下院議員はいう。

フランスでは八〇年代から郊外に住むアラブ系や黒人の若者を中心にラップが流行、差別へのいらだちや怒りを表現した歌詞はたしかに多く、「火が燃え上がるまでただ待っているつもりかい」などと、暴動を予言したかのような歌もヒットした。

フランスの人権団体のSOSラシスムは「ラップは移民出身の若者たちが不満を吐き出す大事な文化活動」とラップ排斥を批判。野党からも「暴動の原因を、差別などの社会問題から若者の表現活動にすり替えている」といった声が相次いだ。

ドビルパン首相はラジオ番組で「郊外で起きた危機はラップに責任があるか、答えはノンだ。責任のなすりつけ合いはやめよう」と語った。

（朝日新聞、二〇〇五年一二月一日付朝刊、在パリの沢村亙の記事より）

十七年も前の記事を引用したのは、少しでも当時の空気を伝えるためだが、新しい驚きがある。それは、ラップが一部のリスナーにしか受け入れられない音のジャンルだということが記事の前提になっている点だ。いまこの原稿を書いているのは二〇二一年の夏だが、試しに現在フランスのチャートを参照してみるならば、トップ十曲のうち、ラップは五~六曲に及ぶ。とりわけ、もう何週間もチャートの一位を突っ走っているのは、Soso Maness and PLK の〈Petrouchka[3]〉という曲。ストラヴィンスキーのバレエ曲「ペトルーシュカ」の耳に馴染んだ懐かしいメロディにラップの言葉が弾んでいる。それほど、現在のフランスのポピュラー・ミュージックにとってラップは無視できない存在なのだ。

さらにさきほどの引用によれば「白人や女性、ユダヤ人を敵視や軽視」したリリックが問題視されているけれど、現在では露骨な差別主義は支持を得ることはない(より巧妙になっているとも言えるが)。それに、問題の発端は、少年二人の死を引き起こした警察権力の側にある。

二〇〇五年の秋の暴動のきっかけになった二人の少年の死をめぐっても、ラッパーたちは曲を作った。二人の名前を刻んだ曲は、「暴動」のあとすぐにリリースされた二〇〇七年のアルバム《Morts pour rien(無駄死に)》に収められていて、Kery James(以下、ケリー・ジェイムス)やIAMといった大御所が声を発した。最近の例でいえば、人気のラッパーMOHは、二〇一六年に発表したアルバム《L'art des mots(言葉の芸術)》に〈Bouna et Zyed(ブーナとジエド)[4]〉という曲を入れている。少年たちの名前だ。曲の中でMOHは、二人がサッカー好きだったこと、シテと呼ばれる郊外の

---

3 Petrouchka…YouTube 公式チャンネルで視聴可。
https://www.youtube.com/watch?v=n3UBSa7-H0U

4 Bouna et Zyed…YouTube公式チャンネルで視聴可。
https://www.youtube.com/watch?v=Xj01KJOJKJg

集合住宅に住んでいたこと、ラマダンのあの日、サッカーの帰りに警官の尋問を受け、「サッカーで存分に走ったのに、まだ走って逃げなくちゃならないなんて、知らなかった」と歌っている……。

こうした動きは何を語っているか。彼らの名前を忘れない、ということに尽きる。匿名の、「北アフリカ系移民二世の少年たち」ではなく、ブーナとジエドという固有名をもった存在として、私たちは彼らを忘れてはならない、と強く主張しているのだ。話を戻す。

これほどこの「暴動」は大きな社会現象となったが、十五年以上経った現在から眺めてみると、二〇〇五年の秋の事件ばかりが特異点ではなかったのだなということがわかる。郊外に住んでいる若者たちの怒りは、二〇〇五年に突然発火し、三週間燃え続け、鎮火したわけではない。怒りは持続し、ときどき理不尽な事件に遭遇するや、ふたたび表面に出てくるのだ。たとえば二〇一六年、黒人男性が警官に窒息させられて死亡したアダマ・トラオレ事件[5]は、ブーナとジエドの事件との連続性が強く意識される。つまり点ではなく、線として。そして潜在的には無数にそうした線は引かれている。私たちが気づかないだけだ。彼らの名前を脳裡に刻みつけ、ブラック・ライヴズ・マター（以下、ＢＬＭ）運動[6]との類推を行うことも必要だろう。このあたりは後述したい。

5 **アダマ・トラオレ事件**…2016年、パリ郊外で黒人男性が警官から暴行を受け窒息死した事件。これをきっかけにフランス各地で抗議行動が繰り広げられた。詳細は第4章を参照。

6 **ブラック・ライヴズ・マター運動**…アメリカに端を発する、黒人への人種差別や暴力に抗議する国際的な運動。2010年代からアメリカ各地に広まったが、2020年にミネソタ州で黒人男性が警官によって殺害されたジョージ・フロイド事件をきっかけにアメリカ国内のみならず全世界的に展開されるようになった。詳細は第4章を参照。

もう一つ。「暴動」という日本語だが、考えられる訳語として「蜂起」や「抵抗」もあろうが、ここではこれまでもっとも多く用いられてきた語彙として「暴動」を採っている。ただあくまでも汎用性を考えて、ということに過ぎない。どうしても「暴動」という呼称では括りたくない場面があれば、ほかの訳語を用意することとしたい。

さて、フランスのラップの歴史についてもう少し時系列に沿って書いてみよう。フランスのラップは八〇年代に始まり、九〇年代に最初の盛り上がりを迎える。このあたりは序章で触れる。オールド・スクールのラップについて。次いで第二世代の台頭がある。これが二十世紀の終わりから二十一世紀の初めまで。この第二世代については第一章で詳細に論じたい。そうした流れのなかで、くだんの二〇〇五年の「暴動」が起こる。暴言が「暴動」の引鉄（ひきがね）にもなった、内相（当時）のニコラ・サルコジが大統領に就任するのは二〇〇七年のこと。ラッパーたちは強い反発を、リリックとしてサルコジに叩きつける。

そして二〇一五年一月にシャルリ・エブド襲撃事件[7]、さらには同十一月にパリで連続テロ事件が起きる[8]。二〇一六年にはアダマ・トラオレ事件があり、二〇一八年にはアメリカ由来の#MeToo運動[9]や、ガソリン税の値上げを契機に始まったイエローー・ベスト運動[10]が新しい社会運動として注目を浴びる。ラッパーたちは、こうし

7 **シャルリ・エブド襲撃事件**…フランスの風刺新聞「シャルリ・エブド」がイスラム教の創始者ムハンマドの風刺画を掲載したことなどを理由に、2015年1月にイスラム過激派が同社を襲撃したテロ事件。社内にいた編集長、漫画家、コラムニスト、警官ら計12人が殺害された。この事件を機に、全世界で報道・表現の自由をめぐる議論が加速した。詳しくは第3章を参照。

8 **パリの連続テロ事件**…2015年11月13日、イスラム過激派組織がパリのコンサート会場やレストランを襲い、銃撃や爆弾攻撃で計130人を殺害した事件。パリ連続襲撃事件と呼ばれ、フランスにとって第2次世界大戦以降最悪の事件ともいわれている。

た社会の動きに対してどのように反応してきたのか（あるいは、反応しなかったのか）。ある程度は時系列に沿って記述することにしたい。

ただ、単なる年代記ではつまらない。基本的には、時計の針の進みに従いながらも、リリックにはそれを束ねる諸テーマを読み込んでみる。移民はどう表象されているのか、女性たちの声はリリックに反映されているのか、フランス社会に走る分断の線は、ラッパーの言葉にどんな影を落としているのか、イスラム教徒であることを誰が歌っているのか、などについて。

そして最後に。幾つか決め事を。

この本のなかで扱っている曲については、まったく人の噂にならない音楽を取り上げても仕方がないので、ある程度、彼ら／彼女らの代表曲を俎上にのせる。この本を読んで関心をもったミュージシャンの音源が、この国で容易に聴取できることを第一の条件としたい。ネットやサブスクで彼ら／彼女らにアクセスして、すぐに発見できないようなマニアックな曲は避けよう。話題にしている各曲は、アーティストがYouTubeの公式チャンネルで公開しているものにかぎり、できるだけページ下部の注釈欄にリンクに飛べるQRコードを記載した。読みながら聴く／見ることをおすすめする。

9　#MeToo 運動…性差別や暴力、ハラスメントの被害体験を #MeToo をつけて SNS 等に投稿し、性にまつわる問題を社会全体で考えるきっかけとなった運動。2017 年にアメリカで始まり、全世界に広まった。

10　イエロー・ベスト運動…2018 年 11 月より継続的に行われているフランス政府（おもにマクロン政権）への抗議デモ。燃料価格の上昇によるガソリン・ディーゼルの税の値上げを契機に始まり、SNS で拡散されて大規模なデモに発展。10 万人以上が参加し 100 台を超える車が燃やされたこともあった。

序章

TRENTE ANS SONT PASSÉS…

30年が過ぎて……

アメリカを忘れる

面白い記事を読んだ。二〇二〇年十二月二十三日付の「ル・モンド」紙。フランスのラップに長く注目してきたジャーナリスト、ステファニー・ビネの寄稿。記事のタイトルもずばり、「フランスのラップは、アメリカのおじさんのことを忘れた」という。挑発でもあるのだろうが、フランスのラップは独自の成長を遂げて、生みの親である「アメリカのおじさん」のことを忘れたのだ、と。「一九九〇年代のヒップホップの揺籃期、アメリカはラップ愛好家にとって決して越えられない理想となっていた。今日、アヤ・ナカムラやユースーファ、ジュルのようなスターたちは、北アメリカの同業者たちと大きな共通点があるとは感じていない。むしろ、日本やアフリカのほうを彼らは向いている」と書いている。

フランスの、いまをときめくラッパーたちが、アメリカとの連携よりも日本やアフリカとの近接を強めているという興味深い事実については後述したい。ここでは、アメリカとの関係の希薄化に注目しよう。記事の概要は、以下。

九〇年代、ヒップホップ・カルチャーに関心をもつ者たちは、まずニューヨークに、ロサンゼルスに、アトランタに、マイアミに行かなくてはならなかった。マンハッタンでストリート・ウェアの店に入り、ロサンゼルスの「メルローズ・アヴェニュー[1]」で数時間を過ごしたあと、ギャングスタ・ラップのグループのヴィンテージTシャツを買ってから、「アメーバ・ミュージック[2]」でお目当てのヴァイナルを探す。もちろん一晩では回りきれないので、何日もかけて聖地巡礼する。それが定番だった、とビネは言う。アメリカへ行き、そこで枝葉末節の裏話を集めてくるのがお決まりのコースだった、と。

時間は流れた。大きな変化は、フランスのラッパーにとってアメリカは家父ではなくなったこと。とりわけコロナ禍の二〇二〇年以後はその傾向が強くなる。たとえば、カラシュ・クリミネルというラッパーはそのあたりの事情をはっきりと語っている。「(コロナによる)自主隔離以前、バスケット選手の従兄からアメリカに招待を受けていた。ただ、Covid-19に関連する制限の影響で、旅行はキャンセルになった。そのことが俺を熱くも冷たくもしなかったけれど」。

大西洋を横切ることが嫌だし、ドイツが気に入っている、と現在ドイツに長く滞在しているラッパーは言う。アメリカへ行けなかったのは疫病による偶然かもしれない。だが、大西洋を渡ってわざわざアメリカへ行くことにはあまり積極的な意味を見出せ

1 **メルローズ・アヴェニュー**…今なお人気のロサンゼルスの流行発信地。古着屋やセレクトショップなどが軒を連ね、ファッションに敏感な若者やセレブリティからの支持が高い。

2 **アメーバ・ミュージック**…ロサンゼルスを代表する世界最大のレコードストア。約20年間営業していたサンセット通りの店舗は2020年に閉店となったが、翌2021年春にハリウッドに移転オープンした。

ないのだ、という彼の気持ちは、いかにも今のフランスのラッパーらしい、とも言える。聖地巡礼の時代はもう終わったのだ。北アメリカのラップ・シーンがフランスに夢を抱かせることはない、とビネは書く。

一九九〇年代から二〇〇〇年代までのフランスのヒット・チャートはアメリカの音楽に溢れていた。フランスの青年たちはアメリカの音楽を聴いて育った。たとえばエミネム[3]がそうだ。だが、二〇二一年のいま、エミネム十一枚目のアルバムのチャート最高位は一〇五位だった……。これは単に北アメリカの音楽がフランスで人気がなくなった、ということではない。フランスの「都会派の音楽」と呼ばれる、Aya Nakamuraや、Ninho、Nekfeu、Soprano、PNLといったミュージシャンがエミネムよりはるか上位のラインキングを占めている。

いま、アメリカは多数あるインスピレーションの源泉の一つに過ぎなくなった。たぶんそうなのだ。だがかつてアメリカはフランスのラップにとって絶大な影響力を誇る「家父」だった。その影響下にフランスのラップは誕生し、シーンを代表するグループを生み出し発展してきた。草創期は、やはり三つのグループを中心に紹介することから始めなければならない。

---

3 エミネム…アメリカのヒップホップMC（ラッパー）。アルバムとシングル合わせて全世界で2億2000万以上の売り上げを記録し、世界で最も売れたラッパーといわれている。自身の自伝的映画『8Mile』の主題歌〈Lose Yourseif〉は2003年度アカデミー歌曲賞に選ばれた。

郊外とSuprême NTM

フランス語で「郊外」を意味するバンリュー[4]という空間がフランスのラップの発火点になったことは間違いない。パリの郊外サン＝ドニ[5]で、Suprême NTM（以下、NTM）が自然発生的に結成され、フランスのラップ史にその名を刻む名作《Paris sous les bombes（爆弾の下のパリ）》がリリースされたのは一九九五年。フランスのハードコア・ラップが世間の注目を浴びた。警察を批判し、不正義に直面する若者の気持ちを代弁したのだ。NTMにとって、ラップとは自分を大声ではっきりと表現する手段だった。政治家の悪口を言い、警察を敵に回した。実際に拘留されることも数度に及んだ。四枚目のアルバム《Suprême NTM》(1998) を最後に、彼らは解散状態にあるが、NTMは多くのフォロワーを作った。メンバーのジョイ・スタールはときどき俳優とし

Suprême NTM《Paris sous les bombes》1995年

4 **バンリュー**…単に「郊外」という意味だけではなく、移民や低所得者が多く住む公営住宅地帯を指すことが多いが、多くのアーティストやサッカー選手を輩出している場所でもある。

5 **サン＝ドニ**…セーヌ＝サン＝ドニ県。パリの北東部に位置する。パリの郊外のなかでも特に貧しいとされている。

て私たちの前に姿を見せてくれる。三十年に近い時間が経過したいまから彼らの活動を振り返ると、大切な論点を彼らが残したことがわかる。

まずは、警察との対決姿勢である。警察の暴力に対して彼らが言葉で向き合っていたことは、特筆すべきだろう。警察との対峙、というテーマは彼ら以後、様々な形で変奏されていく。ラッパーのユースーファはこのテーマを中心に据えているし、二〇〇五年秋の「暴動」や二〇一六年のアダマ・トラオレ事件まで、まっすぐに繋がっていく問題である。

二つ目は、NTMが得意とした「サン＝ドニ・スタイル」、つまり郊外出身であることをリリックの基本に据えていたこと。フランスの「郊外問題」は、様々な場面で表象されているが、そこに貧困や格差、差別の問題がはっきりと表れていることは、九〇年代の音楽や映画をみれば明らかである。逆に言えば、NTMのラップやマチュー・カソヴィッツ監督の『憎しみ[6]』のような映画がなければ、私たちはフランスの「郊外」とその表象について関心をもつこともなかったかもしれないのである。

だが、問題を設定するということは、一方で問題の定型化も同時に引き起こしてしまう。郊外の問題は、行政課題としていまも変わらずそこにあるのだが、九〇年代以後、表象の問題としては紋切型になっている。ここをどうするか。いたるところで、つまり、学校でも病院でもストリートでも、暴力と人種差別と宗教的熱狂と共同体主義（コ

---

6 憎しみ…1995年のフランス映画。郊外での人種差別や貧困を扱っており、同年のカンヌ国際映画祭監督賞を受賞。

ミュノタリスム）と社会不安は増大している。問題は解決されていない。だがそれを描く視線は、「荒れる郊外」を疑うことなく反復してもいる。どのように、問題を更新すべきなのか。難しい問題だが、いま言えるのは、そうした系譜のもっとも初期に、NTMが問題を設定したということのみである。

国際的に活躍するMCソラール

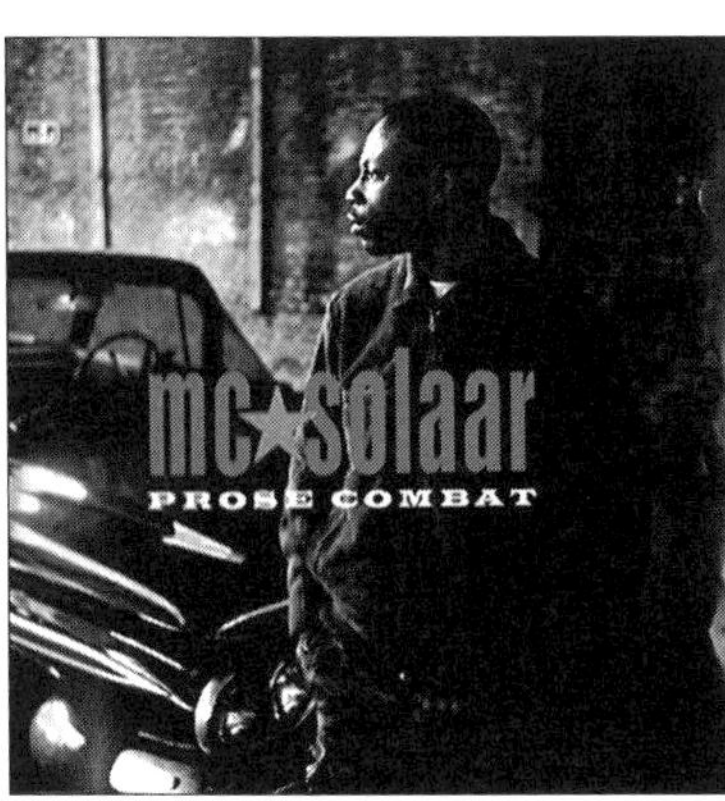

MC Solaar《Prose Combat》1994年

二人目のミュージシャンは、MC Solaar（以下、MCソラール）。一九六九年、ダカール生まれというから、すでに五十の坂を越えている。デビューは一九九一年に遡るので三十年に及ぶキャリアのラッパーだ。現在も活躍中。国際的な「スーパースター」として紹介されることも多いソラールは、とりわけ九四年のアルバム《Prose Combat（闘う散文）》の大成功によって名声をほしいままにした。

ラップの人気に火を点け、フランス語の歌のなかに地歩を築くために、ゲットーからラップを救った、という評価もある。より若い世代からのリスペクトを寄せられる一方で、「もともとのラップを裏切った」として様々な攻撃に晒されてもきた。つまりフランスのラップのオリジネイターとして尊敬を集めていることも事実なら、彼の脱政治化したリリックが、ある種の逃走行為として映っていることも事実なのである。立場の違い、としか言いようがないが、はっきりしているのは、彼の書く詩的なリリックは、セルジュ・ゲンスブール[7]の書く言葉と近接していたこと（デビュー当時のソラールの曲には、ゲンスブールからのサンプリングがあった）。あるいは、長い間、アラン・バシュン[8]の作詞家を務めていたボリス・ベルグマンの作る歌詞にも似ていたこと[*A]。つまり、きわめて凝ったリリックを得意としている。現在までアルバム九枚をリリース（意外に少ない）。長いブランクのあと（なんと十年もの間、アルバム制作がなかったことがある……）発売された最新作は、《Géopoétique（地理詩学）》(2017)だ。

IAM　破壊的であることよりも構築的に

三つ目のグループは、IAM。数多い研究書や雑誌記事や論文から彼らの解説を適宜引っ張ってきて、来歴を述べてもいいのだが、『Entre la pierre et la plume（石と

7 セルジュ・ゲンスブール…フランスのシンガーソングライター、俳優。1960-70年代にかけて一世を風靡し、稀代の色男として浮名を流した。代表曲は〈ジュテーム・モワ・ノン・プリュ〉など。1991年没。

8 アラン・バシュン…フランスのシンガーソングライター。ゲンスブールに次ぐ最も重要なシンガーソングライターともいわれている。2009年没。

***A** Jean-Claude Perrier, *Le rap français Dis ans après*, La Table Ronde, 2010, p.25

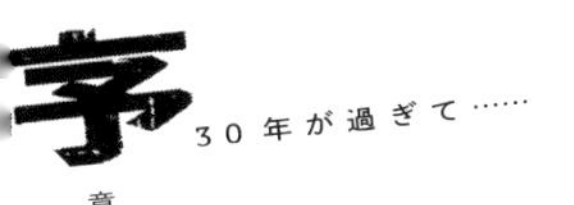

ペンの間)』(Stock, 2020)と題された彼らの「自伝」と言っていい書物から、彼ら自身がどのような自己認識を持っているかを紹介するのも一興かもしれない。

IAMの世界観は豊かで複雑だ。私たちの曲、アルバム、ソロワークがそうであるように、ほぼ無限の多面体からなる多面体によって、IAMは構成されている……。私たちが愛してやまない様々なテーマや、私たちの作品の様々な型を述べるために、私たちはしばしば「コンセプト」という単語を用いている。一九八九年、私たちにとって最初の録音物の名前が「コンセプト」だったのは、単なる偶然ではない。私たちはいつも自分たちのことをコンセプチュアルなグループだと見做してきた。思想や情熱、それと、ヴィジュアル面だったりテキストの面だったりするけれど、イメージに関しては明確な志向がある。私たちはこの宇宙に、私たちの聴衆と一緒に絶えず参加しようとしてきたのだ[9]。

やや高圧的な物言いになっているが、冒頭の「宣言」のような文章だから仕方ない。彼らは自分たちがいかに「コンセプト」を大事にしながら曲作りを行っているかを長く述べる。IAMという「家族」のこと、宗教のこと、そして多人種の集合体で仕事することについて……。

9 引用…IAM, *Entre la pierre et la plume*, Stock, 2020, p.13-14.

少し事実関係を整理しておけば、一九八〇年、メンバーのDJケオプスとアケナートンがラジオを通じてニューヨークのヒップホップ・シーンを発見する。アケナートンが初めてNYを訪れるのはその翌年。「聖地巡礼」である。DJケオプスとアケナートンは他の連中とグループを結成するものの、アケナートンはシュリケンという男とマルセイユのメトロの「ラ・ローズ」駅で互いのテキストを交換する（いったい、どんな事態だったのか?）。いきなり三人はB-BOY・STANCEというグループを結成、これがＩＡＭの前身となる。

最初のアルバムは一時間十三分続くカセット、自主製作盤だった。タイトルは《Concept（コンセプト）》。メジャーデビューは一九九一年。《…de la planète Mars（火星から）》(1991) というセカンドアルバムでは、自分たちの出身地である南仏マルセイユをクローズ・アップした。ＩＡＭの名をフランスじゅうに轟かせたのは一九九四年に発売したシングル、《Je danse le Mia（ミアを踊る）[10]》の成功のおかげ。八〇年代の流行をスタイリッシュに回顧するこの曲は、フランスでのシングル売り上げ第一位に輝き、数か月もの間その座を譲らなかった。二〇二一年の現在まで、十枚のフルアルバムをリリースしている。二〇一八年には日本での初ライヴも行った。このライヴは、もともと東日本大震災直後の二〇一一年六月に行われる予定だったものが延期になり、七年越しに実現したものである。

10 Je danse le Mia…YouTube 公式チャンネルで視聴可。https://www.youtube.com/watch?v=7ceNf9qJjgc

最新作に言及しておこう。二〇一九年にリリースされた最新アルバムは《Yasuke（ヤスケ）》というタイトル。音だけではわからないのだが、これは織田信長の家臣で黒人奴隷だったヤスケ[11]が、アルバム・コンセプトとして選ばれている。IAMとは関係なく、Netflixでも「YASUKE」というアニメがあり、時ならぬYASUKEブームが起きている気もするのだが、IAMのリリックを要約すると、こんな具合か。

俺は遠い水平線の彼方からやってきた。足枷をされ、船に翻っている旗には黒いドラゴンが刺繍されている。この国に渡って以後も、様々な恐怖に支配されている。パン屑が今日の食事。以前は穴の空いたボロ着しかなかったが、いまは甲冑をまとっている。命をつなぐのは、手桶に残った僅かな水。筏に乗った二百人の男女。何人が帰らぬ人となったのか？ 友よ、弟よ、安らかに眠れ……。そして、リフレイン。

ヤスケ（ヤスケ、ヤスケ、ヤスケ）
爪先で立って
騒ぎを起こすこともなく、夏の海を渡る微風のように、
俺たちは武器を磨き上げた
俺たちの祈りの息吹きは、木々に語りかける

11 **ヤスケ**…日本の戦国時代、宣教師の護衛として来日したアフリカ系黒人奴隷。時の大名織田信長に気に入られ、家臣として仕えた。

心臓は絞めつけられ、太陽は昇った
また新しい一日が大量の涙を運んできた
砂州からは立ち上がることしかできない
ヤスケは俺の名前
俺の道は、炎を突っ切る

この曲、あるいはこの曲を含むアルバムは、まさしくヤスケの「コンセプト」でできている。黒人奴隷であること、日本への移送、彼のアイデンティティなど。自分たちが立てたコンセプトに忠実に、彼らの音楽は組み立てられている。前掲『自伝』を結ぶ言葉はこうである。いかにもＩＡＭらしい、自分たちの領分をわきまえた言葉だ。そしてここに述べてあるラップの社会的意義は、ひとりＩＡＭにのみ適用されるわけではない。私たちがこれから考えていくフランスのラップに通奏低音のように流れている言葉でもある。

私たちは政治家ではないし、私たちの言葉はあきらかに彼らの言葉よりもメディアに出ることは少ない。しかし、社会の別のヴィジョンを提示したいと思う。破壊的であるよりも構築的な、閉じることよりも開くことによって、計画を追求する。私たちの音楽はそれだけでは歴史の流れを変えられないとしても、子どもたちのためによりよい世界の夢を守りたい。もし、私たちがなんらかの意識の覚醒を呼び起こし、断片化した人間性のなかに熱狂とまとまりを促すとすれば、それこそが、私たちの建築の礎石となるだろう[12]。

右、フランスのラップの草創期に活躍した三つのバンドを略述した。NTMはすでに存在せず、ソラールは往時の輝きほどには活躍していない。IAMは独自の道を歩んでいるけれど、そもそも三つのバンドだけがオリジネイターではなかったはず。三者三様のラップを切り取って草創期を叙述する習慣に従ったまで、である。

序章を閉じるにあたって、二十世紀の終わりの時期、フランスのラップをめぐる環境がどうだったのかについて、少し補足しておこう。

ラップ・フランセの抬頭

九〇年代になって現れたラップがプロフェッショナルになっていくと、ラップに特化したメディアが創出される。有名なファンジン（ファンの作る雑誌）が発行部数を伸ばしたりもしたが、もっとも注目されたのは、ラップ専門のラジオ局ができたこと

12 引用…前掲書，p.274.

だ。

一九九六年、ある法律[13]が施行されたことで、フランスのラジオ局は、フランスの歌を四〇%放送し、そのうち二〇%は新曲であること、という無理な注文が課されることになった。フランスのミュージシャンのディスクが売れるようにとの配慮から作られた法律だったが、直接的なターゲットは、スカイロックとNRJだった。この二つのラジオ局は平均すると一〇%程度しか「フランスの曲」を流していなかったからである。舵を切ったのはスカイロックで、フランスのラップに焦点を当てた編成に変える。その後、一日のリスナーは四百万人を維持するまでに勢いを取り戻したスカイロックにあって、「プラネット・ラップ」は名物番組となった。月曜から金曜まで、二十時に放送されるフレド・ムーサの番組は、その週のリリース作品をピックアップ、多くの「批評」を繰り広げてきた。この番組が九〇年代に果たした役割は大きい。番組で流れた音楽がその後大きな成功を収めた例は複数ある。

九〇年代後半から二〇〇〇年代の初めまで、この時期に台頭したラッパーをフランスでは「ラップ・フランセの黄金世代」と呼ぶこともある。ゴールド・ディスクを頻発し、パリとマルセイユを軸に、都市文化の抗争という局面もあった。ディスクの販売促進としてのラジオ番組の機能は、むろんインターネットの普及によって大きく様変わりすることになるのだが……。

13 ある法律…トゥーボン法、可決成立は 1994 年。

第一章

AVANT ET APRÈS L'ÉMEUTE

「暴動」のあとさき

113　地元の仲間

自らのルーツを歌う

二十世紀が終わろうとしていたころ、フランスのラップの世界には第二世代（黄金世代とも呼ばれる）が登場している。草創期のシーンの盛り上がりを受けて数多くのグループが出現した。

群雄割拠と言って過言ではない状況下で、現在から振り返ってもっとも時代を画したアルバムは、113（サントレーズ）という名の三人組が放った《Les Princes De La Ville（レ・プランス・ド・ラ・ヴィル）（以下、街のプリンスたち[1]）》（1999）である。このアルバムの中身を検討する前に、メンバー構成から。Rim'K（以下、リム・カ）はアルジェリア系フランス人。本名はアブデルクリム・ブラヒミ。一九七八年生まれ。リム・カについてはのちに詳しく論じたい。二人目は、Mokobé（以下、モコベ）。マリにルーツをもつ。本名はモコベ・トラオレ。一九七六年生まれ。現在はソロ活動に足場を移しているが、113での活動以後Mafia K'1 Fry（マフィア・カン・アフリ）（以下、MKF（エムカエフ））というグループに所属する。このグループは「ラ

1　**Les Princes De La Ville**…YouTube 公式チャンネルで視聴可。https://www.youtube.com/watch?v=YhfjmQd1iUQ

ッパー同士のつながり」という視点で史上もっとも重要なグループだろう。最後の一人がAP(アーペー)。AP自身はパリ生まれだが、両親はフランスの海外県グアドループ出身。彼もMKFと緩くつながっていく。

113の《街のプリンスたち》とはどんなアルバムだったのか。このアルバムが時代を創ったとすれば、それはどのような点においてなのか。

端的には二つの要素がこのアルバムを作っていた。一つは「パリ郊外の若者たちのアスファルト[2]」に埋め込まれた精神。もう一つが「アフリカのルーツに錨を降ろした」表現。この二つの要素が同居し、二重のアイデンティティを形作っているところが面白い。彼らの登場以前のフランスのラップは、大都市の郊外に住む若者たちのざらついたメンタリティを直接反映する鏡だと見なされてきた。それを批判的に捉える者も、「だからこそ」と絶賛する者も、新しく抬頭した音楽が、九〇年代に郊外に居住する移民系の

『Les princes de la ville』113

2 引用…Mehdi Maizi, *Rap français*, Le mot et la reste, 2016, p.106.

「怒れる若者」の自己意識を表象すると捉える点で一致していた。113はそこにもう一つのアイデンティティを加えたことになる。ルーツであるアフリカへの想いが、このアルバムにはみえる。「乗れ、ガキども」という冒頭の言葉どおり、〈Tonton du Bled（村のおじさん）〉という曲は悪ガキたちでいっぱいの車を運転しながら、ルーツの北アフリカの村へ小さな旅行をする話だ。

村のおじさん

俺はこのシテにずっと住んでいたかった
でも父親は言った、ダメダメ
しょうがない、ダチを全員連れてくぞ
一週間で、ヴィトリィ[3]に戻るさ
俺はここで俺の日々を終えるつもりなんだ

ブーレマ[4]の浜にいた、イトコたちやタブラ（楽器）と
手にはセレクトのグラス、コカ・コーラを真似して作ったやつ
オリーヴオイルを身体にも腕にも垂らす

3 ヴィトリィ…ヴィトリィ・シュル・セーヌ。パリのやや北に位置する都市。工業団地が軒を連ねる。

4 ブーレマ…アルジェリアの海岸。

ダチと一緒にザウアニア[5]を聴いていた
俺たちはなんでも話したし、なんにも話さなかった
ナイキ・エアからヴィザまで
砂漠を横切ることや、イェマ[6]のすごいクスクスのこと
そして、イトコは俺に訊いた、「カリム、クスリを売ってるんだろ？」（この部分はアラビア語）
奴が売っているものが良すぎて、自分のは放り投げた
二、三人の地元の連中（blédards）と話を始めた
マフムードは、俺が歌の業界にいるとみんなに話すのを我慢できなかった
連中の一人が「俺はあんたをテレビで見たことがない」（アラビア語）と言う
他の奴が俺に
「マイケル・ジャクソンを知ってるっていうのは本当か？」（アラビア語）と訊く
連中の言葉はめちゃくちゃ速いうえに、隠語混じり
それでも手で掴めるだけのくそったれディナール[7]で、
奴らが何をしたいのか、俺はわかった
太陽は沈み、みんな家に帰る
ある者には、食事とミントティーの時間、他の者にとっては、シーシャの時間
俺は、第三世界と呼ばれるところで、素晴らしい一か月強を過ごす

5 **ザウアニア**…アルジェリアを代表するライ・ミュージックの歌手。
6 **イェマ**…クスクス（北アフリカ発祥の、小麦を粒状にした食材）のメーカー。
7 **ディナール**…おもにアラブ地域で使われている通貨。

もし俺に十分なカネがあったら、みんなを連れていけるのに
でも本当はそこで何が起こっているのか、俺は眼を閉じることができない
もう会えなくなった人たちや子どもたち、ママたちにこの曲を捧げる
で、俺はシテに戻ってきた
ダチや女友達に会えてうれしいけれど
二週間、俺はチョルバ[8]しか食べなかった
俺は人生の終わりをそこで過ごすことにした、神の思し召しを！

大切なことが歌われている。主人公の「俺」は、フランスの郊外（バンリュー）「ヴィトリィ」に住んでいて、それ自体にはなんの嫌悪も抱いていない。そこで一生を終えたいとさえ思っている。だが「第三世界」にある「村」にちょっとだけ行くことになった。推測だが、両親のどちらか（あるいは両方）のルーツの土地なのであろう。最初はとても嫌だったが、行ったらめちゃくちゃ溶け込んだ。村は「bled」という単語が使われている。「ムラ」「村」「田舎」「寒村」……どう訳してもいいだろうが、基本的に北アフリカ内陸部にある、奥地の「村」を意味するフランス語だ。「俺」は「歌の業界」で生きていると言ったら、どうしてテレビに出ないんだ？　とか、マイケル・ジャクソンとは知り合いか？　とか、訊いてくる。しかもアラビア語だ。アラビア語

8 **チョルバ**…東アジアや中東で食されているスープやシチューの一種。具材は地域によって異なるが、豆やトマトなどが入っている。

が「俺」は特に嫌いでもなんでもない。そこが面白い。つまり「村」に行ったら行ったで、そこに馴染む「俺」がいる。

時期的な問題もあると思うが、アフリカにルーツをもつフランス在住の人々は、私たちが想像するよりも頻繁に故郷に帰っている。ヴァカンスに戻る人もいれば、仕事で長期滞在する者もいる。だがフランスで生まれ育ったその子どもたちは複雑だ。親のルーツではあるにしろ、自分たちにとっては直接の故郷ではない。しかし、フランスが故郷か、と言われればそうでもない。差別もある。そこで世界は狭まる。フランスに対して愛国心を存分に抱くことは難しいかもしれないが、自分の住んでいる「バンリュー」に対しては愛着があるし、愛情を隠す必要はないとも感じているのではないか。二つの国、というよりも、二つの土地の間で揺れる「俺」の心が、軽妙なラップを通じて表象されている。

そこがこの歌の中心だ。この二重性は、これまであまりフランスのラップのリリックには見られなかった。そこに113の面白さがある。

アメリカのラッパーたちに影響を受け、自分の音楽を洗練させてきた世代に対するアンチテーゼが113。ここには、大西洋の向こうよりも、地中海の彼方をもっと積極的に眺めようとする姿勢がある。使われている言葉はシンプルで、あつかましく誘惑的だ[9]。

そしてもう一つ、113のラップを一級品に仕立てているものがあった。それは、DJ Mehdi（以下、DJメディ）の存在である。二〇一一年九月、不慮の事故によって落命したDJメディについては多くの言葉を費やす必要があるけれども、《街のプリンスたち》にかぎっていえば、彼がこのプロジェクトに関わっていたことが成功の大きな鍵だった。113というグループをエクスペリメンタルのほうに大きく開き、彼らのラップを別の次元へと押し上げたのは、間違いなくDJメディの功績だ。アルバムにはファンキーな曲もあれば、エレクトロ・ミュージックとの親和性を示した曲もある。たとえば、〈Ouais gros（ねえ、君）[10]〉(1999)という曲には、ジャーマンテクノの雄、クラフトワーク[11]の〈Trans-Europe Express（ヨーロッパ特急）〉がサンプリングされている……。

113の三人組は、結局、十年余りの活動期間で五枚のアルバムをリリースしただけだった。APは二枚、モコベも二枚のソロアルバムを出している。だが、右に述べたように、自らのルーツに目を閉じないという意味で、フランスでいま現在大流行しているラップの祖型といえるのではないか。そう、彼らの目は最初からずっと、アフリカを見据えていたのである。

---

11 **クラフトワーク**…1960年代半ばにドイツで結成されたテクノグループ。テクノポップの先駆者としてその後の音楽に多大な影響を与える。2021年「ロックの殿堂」入り。

9 引用…前掲書，p.106.

10 **Ouais gros**…YouTube公式チャンネルで視聴可。https://www.youtube.com/watch?v=XVjdouA4G7E

ディアムス　ある女性ラッパーの変遷

わたしの泡のなかで

Diam's（以下、ディアムス）は女性である。ラッパーでもあった。この二つを「女性ラッパー」と安易に結びつけていいのかどうか、ちょっと悩む。ちなみにフランス語では、男性のラッパーのことをrappeurと書くが、女性のラッパーはrappeuseと女性形で呼ぶ。簡単。だが、日本語で表記するとどうしても、「女性ラッパー」となる。少しニュアンスが違う気がいつもする。「フィーメール・ラッパー」と英語に寄せた言い方も考えたが、仕方ない、ここでは「女性ラッパー」で通すことにする。

ディアムスは圧倒的な存在感を放つ女性ラッパーだった。一九八〇年、キプロス生まれ。両親の離婚により、幼少期にパリ郊外へ。パリまで高速鉄道で半時間ほどのブリュノワという場所で育つ。厳格な教育を受けた。デビューは一九九九年。まだ二十歳に届かない年齢で有名レコード会社と契約し、将来を嘱望される存在となる。

とにかくＮＴＭが好きだった、狂信的なほど、と当時のインタビューでディアムスは答えている。「デビューは早かったですよね？」というインタビュアーの問いに、彼女はこう答える。

そう、かなり早いかな。始めたのは、インターネットに入ったころだった。ＮＴＭのファンで、彼らのためにだけ、生きていた。狂信的でしょ！　めちゃくちゃ練習した。ラッパーのリコのフロウを真似てちょっと知られるようになっていた。それから、フリースタイルをやるようになって、練習して、またフリースタイルをやって、ラップのアルバムをたくさん聴いた。そのあと友達のグループに参加しないかって誘われて、で、その友達の書いたものをラップするようになって、自分でもリリックを書くようになった。それはわたしの言葉だし、わたしのフロウだった[12]。

だが、彼女が残したアルバムは四枚に過ぎない。なかでももっとも記憶に鮮明なのは、《Dans ma bulle（ダン マ ビュル）（以下、わたしの泡のなかで）》(2006) だろう。チャートでも一位を獲得し、その年のＭＴＶ・ヨーロッパ・ミュージック・アウォードでは、「ベスト・フレンチ・アクト」を受賞した。

このアルバムについて、彼女自身の言葉を引用したい。インタビュアーの「あなた

12　引用…Thomas Blondeau, Fred Hanak, *Combat Rap II 20 ans de Rap français/entretiens*, Castor music, 2008, p.207.

Diam's《Dans ma bulle》2006年

の書き方はむしろ本能的だし、感情的です。〈Ma France à moi（以下、わたしにとってのフランス）〉のような曲は、あなたを中傷する人たちに使われる可能性があり、最終的に同じ武器を使うことになることを、あなたは理解していますか？」という意地の悪い質問に対して、ディアムスははっきりとこう答える。

わたしは本能でラップしてる。今朝も、ある曲を作っていた。その曲にはいろんなことを詰め込んでいるんだけれど、わたしはそんなことは気にもとめていない。なぜってそれはわたしが考えてることだから。仮にわたしが友達と議論することがあったとして、論争にまで発展して、一致点がなかったとしたら、わたしはそのことを正直に書く。そこのところをなくしてしまったら、わたしはラップをやめなくちゃならない。本能は、わたしにとっては一番大事なもの。〈わたしにとってのフランス〉という曲は、リリースされたとき物議を醸した。なぜなら、「深いフランス」に対抗する「わたしにとってのフランス」として理解されたから。でも、わたしは自分を正当化したいと思ってない。言いたいのはそんなことじゃない、わたしはあの曲を一度も否定しなかった。わたしが書いた、あのフランスがわたしは好きじゃないから。

おそらく、どうやら、わたしは世界じゅうを同じひとつの袋に入れてしまった。そうすべきじゃなかったのかも。たとえば、「ジュリー・レスコー」と映画『コーラス』を同じ曲のなかに入れちゃったみたいに。でも、あの曲はこう始まる。「メラニー（ディアムスの本名）！　昨日の夜、テレビで若者に関する番組を観た？」。わたしは、「連中がわたしたちについて言っていることのほうがおかしいと思う」と応えてる。スタイルについては、「あんたは、郊外（バンリュー）のフランスについて紋切型ばかり、ああ、でもあたしも、バゲットやソーセージのフランスについては陳腐な決まり文句しか浮かばない」。これがリリック。わたしも成長したから、あの曲が人を当惑させるかもしれないってこともわかる。でも反省はしてない。「君はみんなに知られている存在なのに、どうしてそんなに下品なのか？　どうしていつも『クソッタレ』って言うのか？　賞をもらったときでさえ」と言ってくる人はたくさんいる。でもね、紳士・淑女のみなさん、わたしはラップをやってるの、クソッタレ。わたしはポピュラー・ミュージックの歌手じゃない[13]。

要するに、彼女は——少なくともデビューしたころのラッパー・ディアムスは、何

13 引用…前掲書，p.211-212.

も飾らないし、何に対しても怖気ることがなく、むきだしの自分を歌っていた。そうした歌手として認知されていた。衝迫力があり、社会を告発する言葉を吐いた。右の引用箇所で言及されている〈わたしにとってのフランス[14]〉という曲は、アルバム《わたしの泡のなかで》に収録されている。

全曲引用する余裕はないが、この曲の動画は秀逸だ。集合住宅に住む白人の老人が朝七時に目を覚ますと、この曲が聴こえている。隣の部屋のラジオから音が出ている。老人はラジオをオフにする。着替えをして外に出ると、街区を歩く黒人少年のヘッドフォンからも、乗り合わせたタクシーのラジオからも、路上に座っている三人の若い女性たちの見ているタブレットからも、この曲が流れている。老人は、執拗にこの曲を排除する。ラジオを切り、タブレットの画面をオフにし、タクシーのラジオをめぐって運転手と口論になる。だが最後、タクシーを降りて入った家電量販店では、陳列してある多くのモニターに、ディアムス本人の画像が現われ、そしてこの歌が流れる。まったく染めていない真っ黒の髪。ショートカット。モニターのディアムスの顔は様々な人種の、複数の性の顔に入れ替わる。くだんの白人の老人はモニターに手をかけ、壊そうとして持ち上げる。画面のなかのディアムスは歌い続ける――。

その、もっとも高揚する箇所は、次のようなリリックでできている。

14 **Ma France à moi（わたしにとってのフランス）**…YouTube 公式チャンネルで視聴可。https://www.youtube.com/watch?v=aU0qq4_3jGY

わたしにとってのフランスは、彼らのフランスじゃない
極右に投票するようなフランスじゃない
若者を追い払い、ＦＭでアンチ・ラップを表明するような
テキサス州にいると思い込んでいるような、わたしたちの集団にビビるような
サルコジを賛美し、不寛容で人を邪魔者扱いするような
『女警部ジュリー・レスコー』を観て、映画『コーラス』の時代を懐かしがるような
貧乏人に唾を吐き、両親をホスピスに入れるような
そんなフランスじゃない
いや、わたしにとってのフランスは、
ボージョレのお祝いをするような、彼らのフランスじゃない
移民がやってきたせいで
国がやられてしまったと言い張るフランス
レイシズムの匂いがプンプンするけれど、自分たちはオープンなフリをしている、
そんなフランスじゃない

自分にとってのフランスは、「彼ら」のフランスとはぜんぜん違う。いまのフランスの姿は、わたしにとってのフランスじゃない。寛容でも平等でも博愛主義でもな

いフランスの、くそったれ。ディアムスは「わたしの」フランスを具体的に例示することはないが、「彼らの」フランスとの差異を強調するリリックは、はっきりと分断を煽り、政治的に利用される可能性があった（実際、二〇〇七年の大統領選挙ではこの曲をバックに流しながら選挙活動をした候補者もいたと記憶する）。様々な固有名詞があれもこれも同じ曲のなかに投じられていて、ディアムス自身が反省的に語っていたように、ちょっとやりすぎの感じはある。ちなみに、『ジュリー・レスコー』は、一九九二年からフランスのテレビ局TF1（テーエフアン）によって製作された刑事ドラマ。ヴェロニック・ジュネスト演じる女性刑事が、仕事と家庭の両立にときに悩みながらも事件を解決していく、という構成。一方、『コーラス』は、クリストフ・バラティエ監督の二〇〇四年の映画。戦後まもないフランスの、問題を抱えた子どもたちを集めた寄宿舎が舞台。音楽（合唱）を通じて心を通わせていく教師と子どもたちを描いている。『ジュリー・レスコー』と『コーラス』はフランスの一般的なブルジョワ階級が見るような番組や映画で、白人しか出てこないような「美化されたフランス」を見せているもの、ということで取り上げたと思われる。

さて、「わたしにとってのフランス」のような、極端に振り切れた政治的でもある言葉は、熱烈な支持者と冷ややかな批判者を生みながらも、世間の注目を浴びた。ディアムスの人気は不動のものになる。二〇〇九年発売のアルバム《S.O.S》まで人気は翳りを知らなかった。アルバムはふたたびフランスの国内チャートで一位を記録した。

だが、不意に、彼女は私たちの前から消えたのだ。

イスラム教徒として

神……その存在を信じることは、いつもわたしにとってたしかなことだった。でも、わたしの人生や考えや選択にとって、神の存在はたいしたインパクトをもっていなかった。あの日、二〇〇九年のわたしの改宗の日までは。もちろん、子どものころから何度も「彼」のことは考えた。ほかの人たちと同じ。でも本当に「彼」のほうへ行きたいとは感じていなかったと思う。一般に、わたしたちは、幸せを買い、消費し、ストックしておくことにあまりに汲々としているから。「幸せ行きのパス」がわたしの銀行口座やセレブリティや成功にぴったりと貼りついているとしても、それで充分じゃなかった。値札を集め、クレジットカードに幸福を追い求めた……失われた傷[15]。

『**Mélanie, française et musulmane**（メラニー　フランス人にしてイスラム教徒）』というタイトルをもつ自伝のなかで、ディアムスは二〇〇九年当時のことを右のように回想

15 引用… Mélanie Georgiades, *Mélanie,française et musulmane*, Seuil, 2015, p.39.

している。ちっとも幸せじゃなかった、とも書く。前述したとおり、二〇〇九年には四枚目のアルバムをリリース、ラッパーとして名実ともに頂点を極めていたはずだった。

だが、彼女の内面では、違和感が覆いようもなく膨れ上がっていた。だから姿を消した。オムラと呼ばれるメッカへの「小巡礼」にも参加した。かつては人々を喜ばせるため、何より自分で楽しむために、世界じゅうをツアーで回った。だがメッカへの小巡礼によって得られる心の安寧は、格別のものだった。音楽のためではなく、誰かを元気づけるためでもなく、世界各地からやってくるイスラム教徒に出会い、精神の大きな変化を経験した。パリに戻ると「胸が締めつけられるような感じ」に苦しんだ。メッカでの、あらゆるストレスや苦悩から解き放たれた感覚は、どこかへ消えていた。大巡礼（ハッジ）への想いが強くなった。「魂の旅」を敢行するために、本を読み、人に会った。そして、表舞台から姿を消すことを選択する。ラップをやめた。

一年半後（二〇一〇年かと推測）、ジルバブ[16]を着用したディアムスのインタビューがＴＦ１で流れた。それまで、舞台でラップする彼女の姿は頭部にヘアバンドをつけるか、フードを被るかしているだけだったから、フランス人の誰も彼女のジルバブ姿を目撃した者はいなかった。ディアムス、いやメラニーは、インタビューで心の平安を繰り返した。ラップをやっていたときの自分は怒りや憤りをリリックに込めてい

16 **ジルバブ**…イスラム教徒の女性が首や頭を覆うために使うスカーフ状の衣類。

たけれど、心に安寧を得たことがなかった。いま、とても幸せだ、とメラニーは語っていた……。

現在（二〇二二年）、このインタビューは動画サイトで確認できるのだが、彼女のふくよかな容姿は語っている内容（精神世界の充足など）とも相俟って個人の幸福を思わせる。ラップしながら社会を告発する姿に強い衝撃を受けていた者にとって、彼女の急激な変貌はとてもショッキングなのだが、個人の幸福にあれこれ批判的な言辞を投げることもまた、慎まなければならないのかもしれない。ただし、くだんの自伝を読むかぎり、彼女の心の内側は、インタビューで語ったほど落ち着いてはいないようなのだが……。

こんな格好をしていると、人々は遠くから見てわたしだとわからないみたい。以前は稀なことだったのだけれど。ある時、ある女性が、とても敵対的かつ軽蔑を込めた仕方で、わたしをじっと見つめてきたことがあった。わたしは彼女に近づいてこう言いたかった。「こんなふうに、しつこく凝視するなんて、いったいわたしがあなたに何をしたというの？　あなたがそんなにまで怒りを感じてるのはいったいどうして？　あなたにわたしはいったいどんな痛みを与えた？　あなたの家族や子どもにつらくあたった？　わからない……。わたしがあなたのようではないことが、あなたに敵対しているということを意味するのかしら?」

この国に一歩足を踏み入れてすぐにわかったことだけれど、すでに大きくなっているイスラモフォビア〔イスラム教への嫌悪〕が、顔にまで現れている[17]。

二人の子どもに恵まれ(二〇一六年当時)、「結婚している」状態を礼賛する彼女はしかし、イスラム教への憎悪に対して強く反発する。子どもを取り巻く教育環境の劣化に対しても、憤る。ただ、それらの感情が(少なくともいまのところは)ラップにならないだけだ。ディアムスは死んで、メラニーとして生きている。彼女の自伝を読むかぎり、この事実は否定しようもない。私たちは社会参加したラッパーを失ったのだ。

*

「ディアムスが二〇一二年にキャリアを中断して以降、どんな女性ラッパーも彼女の影響を受けていないんじゃない? これは私には本当に謎なんだけれど……」

そう語るのは、ディアムスの初期のマネージャーで、女性ラッパーの「新世代」の抬頭を心待ちにする敏腕プロデューサー、ニコル・シュリュスだ。「女性ラッパーの自由」という企画の発案者でもある。彼女は、メラニーについてこう語る。

17 引用…前掲書, P.45.

メラニーにはまったく躊躇がなかった。前進だけ。でも、初期はとても女性的なイメージを売っていたし、デビューしたとき、髪は長かった。でもそれからジャッジメントなんかどうでもいいと思いながら、ボクサーみたいにリングにのぼった。地元の男どもとトレーニングした。おそらく今日、女性たちはかつてよりもちょっと自制しすぎているんじゃない？ 他人の視線が怖いから。たぶん、アメリカよりヨーロッパのほうが遠慮がち。フランスのリル・キム[18]やニッキー・ミナージュ[19]がほとんどいないのはそのせい[20]。

ディアムスがメラニーになってからほぼ十年が経つが、彼女の歌はいまだに聴かれている。音楽ストリーミングプラットフォームSpotifyでは毎月ほぼ一〇〇万近い再生回数だ。シュリュスはこう説明する。

彼女はまだ人々の心のなかにいる。その寛容と熱狂のせいだと思う。彼女を支えるスタッフの一人になるのは、幸福の「泡」のなかに入ることだった。特に、彼女の誠実さ。彼女はいっさい術策を使わず、そのことがステージにも曲にも表れていた。彼女は人々が、聴衆が好きだったし、ファンに応えた。彼女は、彼女が苦しんでいる世界全体に向けて

---

18 リル・キム…アメリカの女性ラッパーで、「ヒップホップの女王」と称されている。アルバムの累計販売枚数は1500万枚を超える。

29 ニッキー・ミナージュ…トリニダード・トバゴ出身の女性ラッパー。MTVの「今年のホットなMCリスト」に女性で初めて6位にランク入りした。

20 引用…Pourquoi aucune rappeuse n'a encore pris la place de Diam's, selon son ex-manageuse, par Violaine Schutz, Tsugi, 26.mai.2021.

21 引用…前掲記事

語りたいと思っていた。世界は、彼女をもっとよく理解すべきだった。多くのアーティストは、自分のメンタルな健康の問題について連想させたりしないもの。いま、人が探しているのは、「本物の」問題。みんな、ソーシャル・ネットワークや写真やマーケティングのうしろに隠れているだけだから[21]。

後述するように、私はディアムス以後、女性ラッパーがいないとは思っていない。ただ、元マネージャーが語るように、チャートを賑わす女性ラッパーがいないことは事実だ。その意味ではフランスのラップはひたすら男性中心で、「マッチョ」な印象がある。

それともう一つ、ニコル・シュリュスの言葉に耳を傾けるべき点があるとすれば、いま、本物の問題が隠されているということだろう。すべてをＳＮＳのせいにするつもりはないが、議論が拡散していくだけの惨状を私たちは目撃していると言っていいのかもしれない。ディアムスがキャリアに終止符を打った十年前、問題ははっきりしていた。本物の問題にまっすぐに立ち向かう彼女がいた。包み隠しようもなく、感情をむきだしにするディアムスがいた。そのことがセールスに直結していたことは、いまでは想像しがたいくらい奇蹟的なことだった。

ブーバ　アルゴの創造者

危険すぎるラッパー

Booba（以下、ブーバ）は、一九九六年、敵意を剥き出しにした。友達のアリと一緒に、Lunatic（以下、リュナティック）というデュオを結成、〈Le Crime paie（犯罪は引き合う）[22]〉という曲をリリースする。「ただ殺人だけがツケを払う」「俺の罪にはどんな後悔もない」。高層マンションの陰のビジネスやら、隠蔽工作やら、涙やら、ユーロやら。ゲットーがどれほどプラグマティックなのか（実践的なのか）とか、誰もルナティックのような形では書かないできた。

最初は、「敵意」という意味のコンピレーションアルバム《hostile》（1996）でデビュー。このアルバムは、一九九〇年代のちょうど真ん中で、ラップの新しい基準となった。彼らの属していたレーベル「45 Scientific」は、アルバム《Mauvais œil（悪い眼）》（2000）をリリースすることで、シーンの真ん中に躍り出た。このデュオの唯一のアルバムによって、ラップ・フランセはそれまで顔を覆っていたマスクをはずし

22 Le Crime paie…le crime ne paie pas「犯罪は引き合わない」を皮肉ったタイトル。

Lunatic 《mauvais œil》 2000年

たのだ。

八〇年代にミッテラン政権で文化大臣を務めたジャック・ラングが（ラップを含む）大衆文化を称揚する政策を打ち出したあたりから、風向きは変わる。ラップが公に認知され、社会に受け入れられる空気が醸成される。ブーバはそれは違うと思った。彼らリュナティックは、「歯まで武装していた」。ラップに対して開かれた態度をとり、専門局として人気を得ていたスカイロックも、リュナティックを拒んだ。暗すぎるし、汚れすぎているし、危険すぎる、とスカイロックは判断したのだ。

ブーバはそのころにちょうどソロアルバムをリリース。《Temps mort（タン・モール）（以下、タイムアウト）》（2002）という名のアルバムは、フランスのラップの地平よりも、はるかに低いところを流れていた。フランスのヒップホップは、平和をむさぼっている。ブーバはそう非難した。モブ・ディープ[23]のような、アメリカ人の悪魔的な詩の影響を

23 モブ・ディープ…プロディジーとハヴォックによって結成されたアメリカのヒップホップデュオ。2017年にプロディジーが逝去したことで活動終了。

モロに被って、フランスのラップの中で孤立していた。彼の言葉は複雑だ。生のヴィジョンによって精神は荒廃し、意味の結び目から解放された言葉は、夢想や悪夢となった。

警察や奴隷制や政治についてテキストを書いたとしても、それらのテーマをきっと様々な形で結晶化したことだろう。すべてが参照点をもち、表に現れていない意味を孕み、多くの鏡が反射するような、そんなテキストを書いたに違いない。それはたぶんボードレール[24]を想起させただろう。「俺は危険ではないし、ネクタイもつけていなければ髭も生えていない」。ブーバはそう書きつける。だが、彼のリフレインは、ほかの誰のリフレインにも似ていない。雑多な要素が混じり合っている。アメリカの作家ブコウスキー[25]の俳句、とか。まさしく、ブーバのリリックは「言葉のパズルであり、思考のパズル[26]」なのだ。彼にとってそれがまさしくラップなのだ……。

ここまで、二〇〇八年のブーバへのインタビューから彼のおもな来歴をたどり直してみた。あまり本は読まないことや、映画のワン・シーンをリリックに活かすことはもちろんある、とか、強烈なアメリカのラップの影響とか(ブーバはデビューしてからずっと「アメリカの友達」のような扱いをされていた)、モブ・ディープやウータン・クラン[27]、トゥ・パック[28]といったラッパーの影響を彼自身も認めている。もちろんほ

---

24 ボードレール…19世紀末のフランスの詩人。詩集『悪の華』(1857)は、世紀末の退廃的な雰囲気を表した傑作。

25 ブコウスキー…20世紀のアメリカの詩人、作家。酒、女、競馬をこよなく愛し、破天荒な作家として知られている。俳句も愛した。

26 引用…Thomas Blondeau, Fred Hanak, *Combat Rap II 20 ans de Rap français/entretiens,Castor music, 2008*, p.139.

27 ウータン・クラン…1992年結成のアメリカのヒップホップグループ。

かにも興味深いエピソードはたくさんある。フランスにおけるストリート・ウェアの代表的なブランドUNKUT(アンカット)の創業者、など。

だが、そのどれも彼の姿の一部でしかない。ラップに関しても様々な側面をもつが、彼の作るアルバムはとにかく売れている。二〇〇二年のファースト・アルバム《タイムアウト》から、二〇二一年の《Ultra(ウルトラ)》に至るまで(再発を別にすれば)十枚のアルバムを制作しているが、そのほぼすべてがゴールドないしプラティナ・ディスク。よく批判されるのは、簡単に「金」と「殺人」を認めるようなリリックを書くことだが、このあたりもアメリカのある種のアーキタイプを反復しているように思える。その意味では、批判は織り込み済み、ということだろう。複数のラッパーと常に喧嘩状態にあるのもアメリカ流。ラッパーらしく口喧嘩するだけではなく、具体的な戦闘状態に陥ることもしばしば、だ。かねてから犬猿の仲と噂されていたラッパーのKaaris(カーリス)とパリのオルリー空港の免税店で遭遇、大乱闘を演じ、十一人もの逮捕者を出したのみならず、飛行機の遅延まで引き起こしたのは、二〇一八年八月の出来事だった。

ただし、リリックは圧倒的だ。淡々としたリズムに高揚するわけでもない声が静かに重なっていく。彼のパンチラインは熱狂的なファンを生み、リリックの研究書はすでに複数存在する。

28 トゥ・パック…1971年生まれのアメリカのヒップホップMC。アフリカ系アメリカ人でニューヨークのハーレム出身。

詩人であり、哲学者であり

それにしても、ブーバの何がこれほどの熱狂を生み出すのか。そもそも彼は変節を繰り返していて、一枚の肖像を描くのが困難な存在だ。彼のリリックを読んで（しかも書法には変化が常に内包されている）、彼の分析をする者たちは、おおかた詩人として彼を位置づけようとする。「われわれにとって、彼〔ブーバ〕の作品は、正真正銘、詩人の作品である」と、ブーバ論をまるまる一冊書いてしまったアレクサンドル・シラは語る。

たとえばヴェルレーヌ[29]、ボードレール、アルトー[30]、あるいはミショー[31]のようなよく知られた詩人たちにこのラッパーを結びつけて比較対照する者は数多い。多少とも彼らに近いペアの一人として、レッテルを貼ることができるのだ[32]。

シラが詩人として参照しているのは右に挙げた著名な文学者で（特にドラッグの箇所は、アンリ・ミショーとの比較検討が詳細に行われている）、哲学者として召喚されるのが、スピノザ[33]、ニーチェ[34]、そしてドゥルーズ[35]である。つまり、ブーバを既存の文学史や哲学史のなかに位置づける意志が顕著である。

29 ヴェルレーヌ…19世紀後半-末のフランスの象徴派詩人。背徳的でデカダンスな作品を数多く遺し、スキャンダラスな人生でも知られる。

30 アルトー…20世紀前半のフランスの詩人、演劇家。近代合理主義に基づく西洋文明を否定する演劇論は、第二次世界大戦後の前衛演劇に影響を与えた。

31 ミショー…20世紀半ば-後半のベルギーの詩人、画家。20世紀の文学において独自の地位を確立した。

32 引用…Alexandre Chirat, *Booba Poésie,musique et philosophie*, L'Harmattan, 2015, p33.

ここで疑問が湧く。ラッパーとしてのブーバを別の歴史に定位することで特権化して、何が面白いのか？ と。知的な遊戯に過ぎないのでは？ ブーバのリリックはなるほど関心を惹く言葉でできている。だが端的に言って、それは、アルゴ（隠語）の面白さだ。詩人として、哲学者として抜きん出た才能であるという以前に、彼の持ち味は、斬新なアルゴを創り出す点にある。私はこの本を書きながら無数に辞書を引いているが、通常のフランス語—日本語の辞書以外に、ネット上にあるスラング辞典を参照している。特にアルゴに関しては、三冊の特殊辞書を使っている。

- Valéry Debov『Dictionnaire des rimes en verlan dans le rap français（ラップ・フランセにおける逆さ言葉のライミング辞書）』
- 『Lexik des Cités（シテの語彙）』
- Abdelkarim Tengour『Tout l'argot des Banlieues（バンリューの全隠語）』

とりわけ三番目の用語集は、バンリューで作られ流通している語彙を二六〇〇語ほど集めた大判の辞書なのだが、ある単語の意味がわからずこの用語集を引くと、具体例としてブーバのリリックが示されている。つまり、ブーバのリリックの用語が辞書

33 スピノザ…オランダ生まれ。17 世紀を代表する近世合理主義哲学者。すべてのものを神と同一視する汎神論で知られる。

34 ニーチェ…19 世紀後半のドイツの哲学者。実存主義を提唱し、伝統的な人間の本質規定が崩れ去るニヒリズムの到来を予見した。

35 ドゥルーズ…20 世紀半ば - 後半のフランスの哲学者。ポスト構造主義の旗手（本人は否定）。

の具体例になっているケースが少なくない。

詩人とは、書くことによって創造する存在であり（中略）、自分固有の言語のなかに暗示的で感情的な力を見出す者のことである。彼は、そうした力を使って独自の言語を創りだし、詩を書く。（中略）ブーバにあっては、まったく無作法な語彙の拡がりのなかで、まったく別の何かを前にして、その言語が立ち上がる[36]。

すなわち、バンリューや暴力、ドラッグ、レイシズムなど、大きなテーマはたくさんのラッパーに共有されているが、彼らの表象のスタイルは、一様でも同じでもない。言語はバンリューに帰属するわけでもないし、共通の言語でもない。文学もしかり。だが、アルゴは、とりわけブーバが語るアルゴは、単純な詩以上に複雑だ。詩と散文を混ぜる。固有名詞を多用するうえに、シンボリックな意味をもたせる。フランス語と、英語、アラビア語、スペイン語に加え、セネガルの言葉を混ぜる。読者にしてみれば、私たちの言語にとって奇妙な響きが常にそこにある、ということだ（日本語を使っている私たちにとって事情はやや異なるのだが）。フランス語しか使わない、フランス詩の理解者には、ブーバの用いるリリックは異なった言語の使用法と思えるだろう。ここが、ブーバが圧倒的な支持を得る指標である。

36 引用…前掲書，p.38.

あるいは、彼の言葉が常に外国語のようでわからないという切り捨て方をされる分水嶺とも言える。カルト的な支持を得る孤高の詩人か、不思議な言語を操るエセ詩人か。だがそれにしても、彼の音楽は聴かれている。カルト的とは言えまい。無理を承知で、〈Paradis（天国）〉という曲から一か所だけ彼のリリックを引用しよう。フランス語に対して日本語をつけてみる。

Je n'emporterai nada（ジュナンポルトレナダ）
J'le sais mais peu importe（ジルセメプーアンポルトゥ）
J'vais leur faire le hala（ジヴェルーウフェールハラ）
Avant d'claquer la porte（アヴァンドゥクラケーラポルト）

俺は何ももって行かないだろう
そのことはわかっているけど、大事なことじゃない
奴らを大混乱させるつもりだ
扉を叩く前に

韻はきちんと踏まれていて、一行目の「nada」は、謎の地下組織の意味ではなく、

スペイン語。「何も〜ない」の否定文を作る。三行目のhalaはnadaに（韻において）呼応する形で使われているが、これは完全にアルゴ。もとはマグレブ地方のアラブ語に由来するらしいが、ここでは「無秩序」とか「乱痴気騒ぎ」くらいの意味（と、くだんの『バンリューの全隠語』に記載がある）……。

ブーバのリリックを理解する困難の一端が垣間見えただろうか。

ちなみに、哲学者のジル・ドゥルーズは、ある対話のなかでこう語っていた。さて、詩においては、あたかもわれわれが外国人であるかのように一つの言語を話すことが問題なのではない。彼に固有の言語（ラング）において外国人であることが大切なのである、と。

ホーカス・ポーカス　ジャズ・ラップの雄

以下は、ある日のライヴ・レポート。例外的だが、回想形式のため一人称は「俺」を用いる——。

二〇〇八年十二月某日。

渋谷のライヴハウス、クワトロでフランスのヒップホップバンド、Hocus Pocus（以下、ホーカス・ポーカス。フランス語読みではオキュス・ポキュス）を観る。俺のなかでは、フランスのラップなんて日本のどこで流行っているんだ？　というくらいの冷めた認識だったが、会場は満員。アルバムを立て続けにリリースしていたころなので個人的にはチェックしていたのだが。

《73 Touches（ソワサントレーズ トゥーシュ）》(2005)や《Place 54（プラスサンカントキャトル）》(2007)は、「生音ヒップホップ」バンドとして高いクオリティでもってリスナーのもとに届けられていたし、それが「生音」であるからこそ、ライヴで絶対観たいバンドだと思っていた。

まさか、そんな感覚をあんなにたくさんのオーディエンスと共有していたなんて！

Hocus Pocus《73 Touches》2005年

とその場ではえらく感動していた俺だが、まあ、あとになって調べてみると、その年のフジロックに出演していて、急遽人気バンドになっていた、というのが真実に近い。

ホーカス・ポーカスは一九九五年にフランス西部の都市ナントで結成されている。曲調には明らかな特徴がある。ジャズ・ラップ。ファンク色もあるけれど、ジャジーなサウンドに乗せて、というか、つんのめるようにして、ヴォーカルの20syl（以下、ヴァンシル）が歌う。九〇年代後半にデビューしたグループのなかでは、おとなしめの印象がある。政治的な主張が強くない。社会批判もないことはないが、警官を敵に回したり、暴力を煽動したりすることはない。

そのうえ、彼らの音楽は、ヴァンシルの特徴的なヴォーカルが看板だとしても、ギター、ベース、ドラムス、ＤＪ（ここの担当はずっとＤＪグリーム）からなるバンドから放たれる。つまり、生音のヒップホップなのだ。だからライヴの高揚感は比較しようもないくらい素晴らしいのだが（バンドだけが生み出すグルーヴがある、なんて言うと、いろいろ反論はあると思うけれども）、特に強烈なリリックがないと、ノリだけで消費されてしまうんじゃないのか、と二〇〇八年の渋谷で俺は地味に心配していた。実際、ホーカス・ポーカスは二〇一〇年のアルバム《16 Pièces（セーズ ピエス）》を最後にアルバムをリリースしていない。毎年作っているのは、バンドのオリジナルTシャツくらいだ（じつは俺は何枚かもっている）。

たとえばザ・ルーツ[37]のようなアメリカの「生音ヒップホップバンド」とも共通点があるのだから、もう少し注目されてもいいのでは、とも考えるが、そこにはやはりフランス語と英語の溝が横たわっているのかもしれない。誰が聞いてもその意味内容がわかる、ということが、フランス語のラップの場合には、ない。英語との圧倒的な差異はそこであり、意味が聞き取れない以上、ノリが異様なくらいよければ、その場の高揚感にのみ収斂して終わり、ということは大いに起こり得る。

夜の渋谷・宇田川町で、俺はそんなことを考えながら、ホーカス・ポーカスを眺めていた。もちろん、めちゃくちゃ踊りながら。彼らの音楽をそうやって消費しながら。

一曲、終わったときだった。ヴァンシルがコール＆レスポンスをやり始めた。よせばいいのに、と心の底から思った。フランス語でオーディエンスに話しかけて、彼らから反応を（しかもたぶん、フランス語で）貰おうなんて、甘すぎる。空気を読まな

37 ザ・ルーツ…アメリカを代表する生音ヒップホップバンド。1987年に結成され、現在も活動中。

い感じは好きだけど、でもなあ、とちょっと心配になる。

ヴァンシルは、T'es malade! と言っていた。カタカナだと「テ・マラッド」。英語に訳すと（誰もその場では訳さなかったけれど）、You are sick! だ。You are ill. のほうがいいか。ヴァンシルは「テ・マラッド」と叫ぶとすぐにオーディエンスにマイクを突き出す。英語の ill が「カッコいい」という意味だから、おそらくフランス語の malade もカッコいいという意味で使っているんだな、と推測をする。つまり「お前はカッコいいぜ」とヴァンシルは叫んでいる。あるいは「お前ぶっとんでるな!」（＝ノリがメッチャいいな）というニュアンスで使われていた可能性もある。

いずれにせよ、フランス語で反応している一部を除いて、たぶんおおかたのオーディエンスは意味がわからない。「テ・マラッド」。そういってヴァンシルはマイクを空中へ突き出す。「テ・マラッド」。俺は正確に繰り返す。でも正確である必要なんてまるでない。音を繰り返せばいいだけの話。そうやって、彼のコール&レスポンスを消費すればいい。少し周りの人々をうかがう。

どうしているんだろう。「テ・マラッド」。「テ・マラッド」。「テ・マラッド」は繰り返されていない。レスポンスとして「テ・マラッド」はハードルが高い。アン、ドゥ、トロワとか、いろいろあるのに。どうして「テ・マラッド」? お前、いけてるな、と言いたかった? そうだろう。そりゃ、そうだろう。でもそれをここで? 「テ・

マラッド」。

と、隣の数人が、突然、「タムラ」と言う。「タムラ」、「タムラ」。ヴァンシルの声に合わせて「タムラ」。「タムラ」って誰だ?

そうか、イケてるのはタムラなんだな。タムラ、いいじゃん。カッコよくなくても、「テ・マラッド」は「タムラ」に翻訳されている。違和感は半端ない。でもそれでいいのだ、と強く思った。言語の壁を越えた「タムラ」はもともとの意味を失ったかもしれないが、別の何かを、あの夜、渋谷のクアトロで獲得していた。それこそが一体感、というものだろう。バンドが生音にこだわるのも、そのあたりに秘密があるのかもしれない。意味の変容、翻訳の成立。そうしたことのなかに、「テ・マラッド」と「タムラ」は挟まっているのだ。

malade（病気）

しばらく前から、俺は錠剤みたいに白い
食事に由来しているにちがいない
俺に隠されているヴィルスかもしれない
俺の皿は遺伝子組み換え食品でいっぱい

そのうえ、まったく衛生的じゃない
俺は何でも食べるし、何でも飲む、乾杯！
普通じゃない徴候も幾つかある
大きな服がほしい、お前は知らないけれど……
いま、俺はランニング・ウェアに帽子
美容師も変えた、噂じゃないんだ
俺は病気だ、毎月悪くなっていく
いま、金の指輪が指をすべる
髪を失くした
もし可能なら、神様、お願いだ
こんなこと一刻も早くやめてくれ
そしてもう話をやめてくれ
未知のクソみたいな症状を、俺はどうすることもできない
ビートが始まれば、俺の体温は上がる
誰かがラップすれば、俺の体温は上がる
ちょっとの間だけ、熱を下げるあれを見つけた
起き抜けに、マノ[38]を一服

38 マノ（Manau）…フランスのヒップホップバンド、伝統的なケルト風のメロディとモダンなヒップホップのビートを融合させた。なお、カナダの歌手のK-Maroだという説もある。

この後、歌はリフレインの「俺は病気だ、完璧に病気だ」と続く……。そういえば、他の歌にもほの見えるのだが、ホーカス・ポーカスにとって大きな主題の一つは地球の環境破壊である。酸性雨や環境破壊がどのように人間に大きな影響を与えているか、与えることになるか、をホーカス・ポーカスは二十一世紀の初めにはすでに歌っていた。独特の諧謔(かいぎゃく)を交えながら。右の歌にもその片鱗が見える。

この認識は深まっているのか。ホーカス・ポーカスが新しい曲を発表しなくなってすでに十年以上の時間が経つ現在、彼らに尋ねてみることができないのが、なんとも残念である。バンドとしてヒップホップをずっと継続することの困難を体現していたバンドだったのか。

ちなみに〈malade〉に出てきた「俺は病気だ」はフランス語では、Je suis malade.というけれど、カタカナに直せば、ジュ・スイ・マラッド。ヴァンシルの発音では「ジュ」が消えていて「スイ・マラッド」としか聞こえない。「スイ・マラッド」、「スイ・マラッド」、「スイ・マラッド」と繰り返し聴いていると、あら不思議、いつの間にか、「シマダ」にしか聞こえなくなっているから、要注意。以上、ライヴ・レポートでした。

イディールとリム・カ　アルジェリアの風

二〇二〇年五月、一人の歌手がこの世を去った。パリの病院で息を引き取った。享年七十、肺に病気があったとしか新聞には記載されていない。新型コロナウィルスが猛威をふるい、人々はロックダウンした街をうらめしげに眺めているしかないころだった。日本では彼に関する情報はほぼ皆無。だがフランスではその死は大きく扱われた。もちろん彼の出身地であるアルジェリアでも。とりわけカビリーと呼ばれる地方では。ここの出身者や居住者にとって、彼、Idir（以下、イディール）は途轍もなく大きな存在だった。

イディール。本名、ハミド・スリヤ。「イディール」というのは「よく生きる」という意味のステージ・ネームだ。一九四九年、カビリーのとある村に、羊飼いの息子として生まれた。人の数よりも羊のほうが多かった。地質学の勉強がしたくて、フランスへ移住を決意する。二十歳を少し超えていた。当時のアルジェリアには「政党が一つ、新聞が一つ」しかなかった、とあるインタビューでイディールは回顧している。希望どおり、パリで地質学を修める。

このとき決定的な出会いがある。本人の言葉を借りれば「歌が私を選んだ」。レコード会社が彼の声に惚れ込んで、ヌアラという女性歌手の歌をベルベル語で歌い、大ヒットする。曲名は〈A Vava Inouva(アヴァヴァ イヌウヴァ)[39]〉(1991)。十五か国語に翻訳され、七十七か国で流通した。社会学者のピエール・ブルデューによれば「イディールは他の歌手とは違う。一つひとつの家族にとって一員」なのである。

イディールは生涯、カビリーの文化とアイデンティティを守ろうとした。フランス語で歌うこともあったが、ベルベル語で歌うことがだんぜん多かった。パセティックで、ちょっと気分を暗くするメロディ。すっと心のなかに入って来る言葉たち。ベルベル語の響き。

Idir《A Vava Inouva》1991年

イディールが亡くなったとき、インスタグラムで弔意を表した有名人が少なくとも二人いる。二人ともカビリーに縁のある人物だ。一人は、元フランス代表のサッカー選手ジネディーヌ・ジダン。ジダンの両親はアグムンというカビリーの村の出身。「あれほど深く愛していた男の死を、私たちはたった今知った

39 **A Vava Inouva**…YouTube Musicで視聴可。https://music.youtube.com/watch?v=Q2PuY8ZZIj0&list=RDAMVMQ2PuY8ZZIj0

ところです。勇気ある男。一つのモデル。私たちの出会いを、私は絶対に忘れない」。ジダンはそう語って、イディールと二人で写っている写真を公開した。

もう一人は、ラッパーのリム・カ。「さようなら、イディールおじさん。ヴィクトワール・ド・ラ・ミュージック[40]で俺が賞を獲ったとき、イディールはちょうど俺のうしろの席にいて、家族の一員みたいに喜んでくれた。決して忘れない」と語った……。

リム・カの活躍

リム・カの細かいプロフィールは本書三十二頁に書いたとおりだ。113やMKFのメンバーで、自身でもマグレブ・ユナイテッドという集団を率いている。113の歌詞がすでにそうであったように、彼らの出自のバンリューのことを歌う反面、ルーツである地方へのかぎりない愛情や郷愁を隠そうとしていない。それはリム・カがイディールを深く愛していたこととつながっているのだろうが、ひとまず、リム・カがイディールのアルバムで歌っている曲を紹介しよう。〈D'où je viens（ドゥ ジュ ヴィアン）（俺はどこからやってきたのか）〉(2007) という歌は、イントロやリフレインの部分をイディールが担当していて、ベルベル語の言葉がわからない私には内容が理解できないの

40 **ヴィクトワール・ド・ラ・ミュージック**…フランス版のグラミー賞。

だが、たとえば歌い出しはこんな感じだ（歌っているのはリム・カ）。

ここやあそこ、ラバト、ティジ、テュニス、アルジェ、我が息子たちよ。アルジェリア、モロッコ、チュニジア、家族よ、人生よ。ミスムール、わが息子よ。マルセイユからリーパ（パリの逆さ言葉）まで、ヴィトリィ？ 何が起こっても。俺たちはみんなそのまま、我が息子よ。アルジェリア、モロッコ、チュニジア、バンリューよ、ミスムールの村よ

故郷の村の名前と、故国たる国の名、そしてバンリューの名称がなんら分け隔てなく、列挙されている。呼びかけの「わが息子たちよ」はカビリーの言葉。もちろん遠く離れた幾つかの地の名前を連呼することで容易に何かがつながったり起こったりするなどと考えているわけではなかろうが、こうした形で土地の固有名をつなげていくことでしか、彼らの気持ちは表明できなかったのではないのか。

一方で、リム・カは、ソロで七枚のアルバムをリリースしている。ファーストが《L'enfant du pays（国の子ども）》（2004）で、一番新しいＥＰは《ADN》（2021）。ほぼ途切れることなく、活動を継続している。

俺は、バンピィ[41]みたいに実力を発揮した

41 バンピィ（Bumpy）…ニューヨークのハーレム地区で悪名高かった麻薬密売人「バンピー・ジョンソン」を指していると思われる（同じ「ギャングスタ」としてのオマージュ）。

バンクシーみたいにストリート・アートをやった
（ドラッグや大麻などの）測量のときにあいつらとケンカをおっ始める、
俺はリック＆モーティ[42]みたいな宇宙にいる
彼女と俺はファントム[43]にいる
彼女はシャンゼリゼをほしがり、ヴァンドーム広場もほしがる
少しばかり現金が必要だ、ビットコインが俺には必要だ
ハミルトンみたいに速さがほしい
俺は人間たちを信じたことがない
いつも一人で歩いている、発煙筒を転がす
地面を見つめながら歩く、靴底の下に俺の地元がある
ＹＳＬ（イヴ・サン・ローラン）で大金を使い果たす
パリの女を一人、爆破したい
人間工学に基づいた玩具のなかに俺はいる
運転して、タイヤを叫び声みたいに軋ませたい、クソッタレ

人気ラッパーのＰＬＫをフィーチャーした〈Cosmos（コスモ）[44]〉という曲。

二〇二一年夏のフランスのチャートで上位を賑わせた。特に議論すべき主題は見つか

42 リック＆モーティ…アメリカのテレビアニメ。アルコール依存症の科学者リックと孫のモーティが繰り広げるコメディ。

43 ファントム（Le Phantom）…パリにある船上のクラブ。彼女と踊ったり飲んだりしていると思われる。

44 Cosmos…YouTube 公式チャンネルで視聴可。
https://www.youtube.com/watch?v=4AW1TYKv5Ec

らない。右のリリックのあと、リム・カとPLKは「札束でいっぱいの袋／そうしなきゃならないならそうするさ／モーターは制御されてる／金を稼ぐために俺は起きる／金を作るために俺は立ち上がる／ほっつき歩きすぎ」とリフレインを畳みかける。

金と車と女と、そしてブランドの固有名。洋の東西を問わず、ラップのリリックの定番である。この曲はじつはPLKのパンチラインが光っている。リム・カのゆったりとしたフロウとは対照的に、PLKは、フランスの歌番組「タラタタ」を揶揄したり、JUL（ジュル）という人気ラッパーを軽くディスったりする。そうしながらも、自分の高度なラップのスキルを見せるところに、この歌の後半の聴きどころがあるのだが、日本語に訳してしまうと、ほぼ意味を失う。難しい。ただ、リム・カの最新のヒット曲を聴きながら、デビュー・アルバムに濃厚に漂っていた、北アフリカの寒村の空気感が見事なくらいに払拭されていることに、軽い驚きを禁じ得ないのだった。たぶん、私の耳が錆びついて、古びたに違いない。二〇一八年、リム・カは、Ninhoと共演した〈Air Max（エア マックス）〉[45]という曲で、キャリアで初めてシングル・チャートのトップを飾った。

45 **Air Max（feat.Ninho,2018）**…YouTube公式チャンネルで視聴可。https://www.youtube.com/watch?v=6JmrZDZGVH0

マフィア・カン・アフリ　ヒップホップ・コレクティヴ

Mafia K'1 Fry（以下、ＭＫＦ）は、日本語で音にすると「マフィア・カ・アン・フリィ」と読むのが正しいのかもしれない。本書ではこれまでも、ずいぶんと日本語に存在しない音を、無理矢理カタカナ読みして表記してきたのだが、この集団の名前の後半「K'1 Fry」は「アフリカン」の逆さ言葉になっている。つまり、「アフリ・カン」を転倒させて「カン・アフリ」とし、「K（カ）」「1（アン）」＋「Ｆｒｙ（フリィ）」とアルファベットを当てはめた、という説がもっとも有力である。それにしても、凝った名前であること！

ＭＫＦはグループの分類としては、ヒップホップ・コレクティヴとなっている。ヒップホップ集団、という意味だ。パリのやや北に位置するヴィトリィ・シュール・セーヌ出身者が多い。活動期間は二十世紀の終わりからのほぼ十年間。大人数のうえに出入りが激しく（メンバー同士の喧嘩やいざこざが絶えなかったらしい）、活動期間も短かったので、全体の印象が弱いかといえば、そんなことはまったくない。個性的なキャラが揃っている。ただし、全員が一つのことを追求する、というよりは、数年に一度集まって、それまでに蓄えた力を放出する、という形での活動形態だった。先に、メンバーを列挙しておこう。

ケリー・ジェイムス、マニュ・ケイ、DJモスコ、113（既述の三人）、ドライ、テディ・コロナ、カルリト、OGB、ミスタ・フロ、ジェッシィ・モネ、Rohff（以下、ロフ）等々。それに、DJメディを加えてみると、これまで述べてきた「第二世代」の主だった面々がかなり確認できる。彼らの公式の活動開始は一九九五年。「ヒップホップ集団」は自然にできあがる。以下の文章は、マニュ・ケイが書いたMKFの回顧録から。一人称の「俺」はマニュ・ケイを指す。

年齢の若さと大いなる才能によって、ケリー（・ジェイムス）は自然と人の視線を惹きつけ、好奇心を刺激した。この時代（九〇年代半ば）、マキシ・シングルとヴィデオ・クリップをリリースしていたラッパーは稀だったと認めねばならない。そいつがめちゃくちゃ若ければますます例外的だった。ケリーは、ヴィトリィの中学に通っていた。そこでケリーはロフと出会い、ロフが、リム・カやAP、モコべやOGBを紹介した。ヴィトリィの若者たちはラップに熱を上げていて、ディフェラン・ティープやイデアル・ジュニオールといった連中を知っていた。機会さえあれば、MJC（エムジーセー）[46]まで、連中は俺たちに会いに来た。モコべはこのあたりのことを正確に記憶している。

一九九一年、俺はバタクラン[47]でラップしていた。遠くから奴が俺を見つけた。俺の

46 **MJC**…Maisons des Jeunes et de la Culture の略で「青年文化会館」。

47 **バタクラン**…パリ 11 区にある劇場。2015 年のパリ同時多発テロ事件では、公演中にテロリストが乱入し 89 人が命を落とした。

被っていたＵＳＡのキャップが目印だった。連中はそのとき入場料が払えなくて、だから、俺が奴らを入れてやった。イデアル・ジュニオールのライヴのとき、何回も、彼らとは会った。

万事がこんな感じだった。Ministère AMERやＮＴＭの出てるところにちゃんと彼らはやってきた。ラップやダンスの練習に使ったりしていた。ＭＪＣのリハーサル室をちゃっかり占拠していて、ケリーは彼らとしょっちゅう一緒だった。

ある日、連中がメディのカセットをもってきた。信じられない音楽、本当にユニークだった。その曲に合わせて彼らはラップした。すでに音楽をやるための小さなグループが幾つかできていて、街のなかでシンプルに再編することもできた。ＤＳＦ（ノウハウをもつ者）という名の集団。リム・カやＡＰ、モコベ、ロフ、ロッコやＯＧＢといった連中がいた。特に音楽に特化した集団ではなくて、パーティや、ダンスのための集まりを組織する、ある種の緩い集まりだった。

この集団の中心に、１１３がいた。いまみんなが知っている三人。だが、三人はかなりいろんな名前を試してみた、という。十ほどの候補の中から「１１３」を選んだ。万事がこんな調子。一種の地球規模の集団があった。この若者たちの小さな集団の動力部の役割を果たしていたのが、ケリー。俺たちは多くの時間をヴィトリィで過ごしていて、地元の舞台に出演し、いたるところでラップしていた。俺は、彼らと一緒にやるのが楽しくて仕方なかったし、フリースタイルも試した。俺たちの情熱は共通していて、まさしく、マイクを使って蹴りを入れることだった。覚えているのは、一九九四年のリラのフェスでの出来事。ケリーやOGB、113も一緒だった。自分たちの曲〈Face a la police（警察に対峙）〉を演奏したところだった。メディも一緒にいて、俺たちは、一緒に何か作ろうと言い出していた。一枚、作ろうってね。俺は、彼らの音楽的な宇宙の豊かさに衝撃を受けていた。毎週、水曜、土曜、日曜に、DJの家に集まることにした……[48]。

この「集団」が面白いところは、外部からやってくる人材をとても鷹揚に受け入れているところだ。たとえば、誰かのイトコがコンゴから到着したとする。その人間が偶然にもラップが得意で「ラップのやり方」や「それまでとはラディカルなまでに違うライミング」があれば、即、集団に入れた。そしてケリー・ジェイムスという天才が、彼の「筆」でMKFふうのラップに仕立てていった。

むろん芸術的な連中だけが集まっていたわけではない。ラッパーからディーラーまで、様々。ただの喧嘩好きだっていた。いつも大所帯で動いた。「本当は、俺たちは何人なのかさっぱりわからなかったし、数えるのが難しかった[49]」。聴衆は、MKFのライヴに、本当はMKFが何なのかを確認しに来ていた。ロフは……ああ、あいつだ。ケリーのほうがいいよね、113もいいけど。聴衆は自分の贔屓のメンバー（いまの日本では「推しメン」というのだろう）の顔を大所帯のなかに確認し、互いに語り

49 引用…前掲書，p.99.

48 引用…Manu Key, *Les Liens Sacrés*, Faces Cachées, 2020, p.94-95.

合った、という。集団が表象＝代行する地元や街の間に敵意はなかった。住民たちは、自分たちの「ローカルなアイデンティティ」を保証する存在として、彼らをサポートした……。

著者のマニュ・ケイは何気なく書いているが、ＭＫＦのメンバーたちにとって、ローカルなアイデンティティほど大切なものはなかったに違いない。メンバーのほとんどが「ヴィトリィ」という街の団地に住んでいて、そのことがこの集団のなかではいっさいネガティヴな意味をもたず、集団の「絆」は不可視のままちゃんと機能していたのだ……。

もし集団とはぐれてしまったら、打ち合わせなど何もなくてもメンバーが落ち合う場所は決まっていた。「シテ」にあった「半月」という名の場所。カフェでもなければバーでもない。ただの石塀。ＭＫＦのメンバーはいつもそこに座っていた。石塀はちょっとだけ弧を描いていて（まさに「半月」！）、みんなで座るにはもってこいのベンチだったのだ。そこから学校に通っている者もいたし、通っていない者もいた。そこには群衆がいた。うさんくさい商売に手を染めている連中もいた。腕相撲やフリースタイルがあった。あと、ガンガンに音楽がかかっている車も。みんな、午後も夜もずっとそこにいた。いろんな街からやってくる男たちで溢れていた（男しかいなかった）。

Mafia K'1 Fry《La cerise sur le ghetto》 2003年

そこで「世界を作り替える」ことを目指していた。マニュ・ケイにとっても、そこは圧倒的な場所、特権的な処だった。マニュはそのなかでも年長者の一人で、アスファルトの上に何日でもいられた。家には戻らず、そこから遠くないメディの家に入り浸っていた……。

おそらくこの集団の中にいるかぎり、世界は楽しく、自分たちの論理や法則が通用した。MKFとは、無辺の集団だった。ふわふわと移動した。誰が入ってきても出て行っても問題なかった。コワモテでもあったから他人を威圧した。だがそれだけだった。共同体の内部には風が吹いていた。

MKFはたった四枚のアルバムしか残していない。メンバーそれぞれが気合いの入ったアルバムを作り、113のような、MKFに属している小集団も録音物でその名を売った。だから集団として残すべきアルバムに拘泥しなかったのかもしれない。単純に忙しくなったのかもしれない。DJメディを失ったことも大きな要因だろう。彼らの残したアルバムのうち、三枚目の《La cerise sur le ghetto》(2003)は名盤だ。アルバムタイトルについて少し。Cerise はサクランボ。フランス語の表現として、C'est la cerise sur le gâteau という言い方がある。gâteau は「ケーキ」の意味なので「ケーキの上のサクランボ」という言い回し。すなわち「これで完成」とか「最後の仕上げ」とか、そんな意味だろう。その gâteau「ケーキ」のところを ghetto「ゲットー」に置き換えるあたり、言語センスが光る。

Pour Ceux（奴らのために）[50]

ジャン・バルジャン[51]のような奴らのために
デカくていかれた奴らのために
黄色いヘッドライトをつけっぱなしで
BMをころがして、うろつきまわっている
灰皿にはジョイント[52]の尻がうず高い
奴らは銃をもってて、その銃さえあれば、
お前だってイノシシを仕留めることもできる
お前が気に入ってる奴ら

50 **Pour ceux**…YouTube 公式チャンネルで視聴可。https://www.youtube.com/watch?v=QzoBB9NO9Dc

51 **ジャン・バルジャン**…フランスの作家ヴィクトル・ユゴーが1862年に発表した小説『レ・ミゼラブル』の主人公。

52 **ジョイント**…紙巻きたばこ状の大麻。

お前を刺す奴ら、
お前を笑わせたり震え上がらせたりする奴ら、
そんな奴らのために
息が苦しくなるくらいまでお前を笑わせる奴ら
ヤリたい、ハイネケン飲みたい
一週間ずっとそんなことばっかりやってる奴ら
ケン[53]みたいなハードコア・アニメに癒される
奴らの街に似たガレー船（ひどい日常）[54]を生き延びる

リム・カが歌っているところを一部、引用した。ぼんやりとした印象だが、彼らの住む街のゴロツキどもを活写しながらも、彼らに冷たい視線を送るのではなく（かといって、甘やかすでもなく）、奴らのために、と歌っている。地元に住む奴らはみんな、仲間なのだ、と。そんなふうに聞こえる。東京生まれでヒップホップ育ち、「悪い奴ら」はみんな友達、ということを歌った日本のラッパーがいたが[*A]、通底するものを感じる。ここには自分の属する集団の狭さを越えて、シテやバンリューに暮らす者たちへの共感が示されている。繰り返すが、MKFは、そうした地元愛に溢れたヒップホップ集団だった。

*A 日本のヒップホップグループ、Dragon Ash の曲〈Greatful Days〉でゲストラッパーの Zeebra が放ったリリックに準ずる。

53 ケン…日本のマンガ、アニメ『北斗の拳』のことか。次の行の歌詞に survivants という単語を使っているので、同作のフランス語タイトル『Ken le Survivant』とかけている。

54 ガレー船…ガレール「galère」は辞書的には懲罰のように辛い低賃金労働、劣悪で厳しい暮らしを指す。

とすれば、彼らのことを書いた文章の（とりあえずの）括りとして、どうしても、「仲間」のDJメディのことを書かなくてはならない。天才DJのメディはずっと彼らに曲を提供していた。ところがある日、突然、帰らぬ人となる。不慮の事故としか言いようのない出来事がMKFを襲う。前掲のマニュ・ケイによるMKFの評伝は、DJメディの訃報を伝える、一本の電話から始まっている。

あの日のことは昨日のことのように覚えている。二〇一一年九月十三日火曜日。俺はベッドにいた。前日のパーティで完璧にはじけていた。電話が鳴り始めた。知らない番号が表示されていた。おおごとなのかもしれなかったが、眼を開けるのさえひと苦労だった。だが、俺は受話器を取った。かけてきたのはケリー・ジェイムスだった。エジプトから俺にかけていたのだ。飛行機に乗る前で、かなり急いでいた。メディのことを知っているかどうか、訊いていた。「事故に遭ったみたいだ。シュクリに電話してくれ。奴なら教えてくれるから」。俺はベッドから飛び起きた。何本か電話をかけた。シュクリはメディの叔父で、ダヴィド・シェルは幼馴染み。スーヒルは俺たちの昔のマネージャーだった。俺はすぐに前日の徹夜騒ぎのことは忘れた。シャワーを浴び、着替えて、全速力で車に飛び乗った。スーヒルをピックアップして、パリ方面に向かう。病院はピティエ・サルペトリエールだった。もう五十人ほどの人間が、メディの病室に続く廊下で待っていた。家族の説明によると、頭から転落した、ということだった。集中治療室では、それでも彼を見ることができた。メディの部屋に向かいながら、中二階で起きた事故の他の犠牲者の病室の前を通った。メディは三番目の部屋にいた。頭から足の先まで、ほとんど管ばかり。白い布で覆われていた。顔がとても腫れていて、全身が包帯でぐるぐる巻かれていた。二秒とその場にいることができなかった。あとずさると、部屋から出た。あの空気が耐え難かった。ダメージを受けた。泣くだろうと思った。あの二秒のことを、脳髄の奥で忘れないでおこうと思った。俺の人生に刻みつけるために[55]。

DJメディがもう少しの間だけでも、MKFに楽曲を提供してくれていれば、あるいはこの集団は継続したのかもしれない。ただ、わからない。わかっているのは、ある建物の中二階にいて、パーティの最中、足元が崩落して転落死する、という信じがたい事故が、不世出の才能を奪ったということだけである。享年三十四。DJメディ名義の音源を最後に掲げる。《The Story of Espion（スパイの物語）》(2002)、《Des Friandises pour ta bouche（君の口に甘いものを）》(2005)、《Loukoums（ターキッシュデイライト）》(2006)、《Lucky boy（ラッキーボーイ）》(2006)、《Lucky boy at night（夜のラッキーボーイ）》(2007)。最高のアルバムたちだ。

55 引用…前掲書，p.22.

ラ・コシオンとTTC　一発屋たち

政治参加だけがラップじゃない

La Caution（以下、ラ・コシオン）は、典型的な一発屋タイプだと思われている。実際、その認識で間違いではないともいえる。『オーシャンズ12』というハリウッドの映画を思い出してみよう。ジョージ・クルーニーやブラッド・ピットが盗賊チームを結成し、あっと言わせる仕掛けを含んだ作戦でまんまと成功する……といった映画（あまりに簡単な紹介だが）なのだが、あの映画のなかで「レーザー・ダンス」と呼ばれるシーンがある。紫色のレーザービームが何本も縦横に空間を横切る場面で、そのレーザーをかいくぐりながら、標的の宝物の部屋へと向かうのは、フランスを代表する映画俳優ヴァンサン・カッセルだ。彼が全身を器用に使いながらレーザーの切っ先を逃れる、そのときにずっとかかっているのが、〈Thé à la menthe（テアラマント）（ミント・ティー）[56]〉（2005）という名の曲。ラ・コシオンの大ヒット曲である。映画のなかではリリックはない。つまりインスト。

56 **Thé à la menthe**…YouTube 公式チャンネルで視聴可。https://www.youtube.com/watch?v=akFZtK0GVU4

ラ・コシオンは Hi-Tekk（ハイテック）と Nikkfurie（ニックフリー）のユニット。言葉の力というよりも、楽曲のエレクトロな感じがゼロ年代に注目された、といえよう。だから彼らの曲には、ラップへの愛情と、エレクトロ・ミュージックへの傾斜の間で、揺れている感じが出ている。二〇〇六年を最後に、アルバムを作っていないし、音沙汰ナシという現況だが（クラブでのライヴは継続中）、ラジオでは土曜の夜に二時間の番組を担当している。

エレクトロ系の音楽への傾斜という意味で、ラ・コシオンよりもずっと病的で魅力的だったのは、TTC（テーテーセー）。パリ出身の六人組。二〇〇七年に、雑誌「Les（レ） Inrockuptibles（ザンロッキュプティブル）」は彼らのことを「この十年のフランスの音楽のなかでももっとも魅力的な展開をみせたバンドの一つ」と讃えた。スタジオ録音盤は三枚のみ。《Ceci n'est pas un disque（スィネパザンディスク）（これはディスクではない）》(2002)、《Bâtards Sensibles（バタールサンシブル）（繊細なろくでなし）》(2004)、《3615 TTC》(2006)。二〇一三年に解散を発表した。隠語をあまり用いないリリック

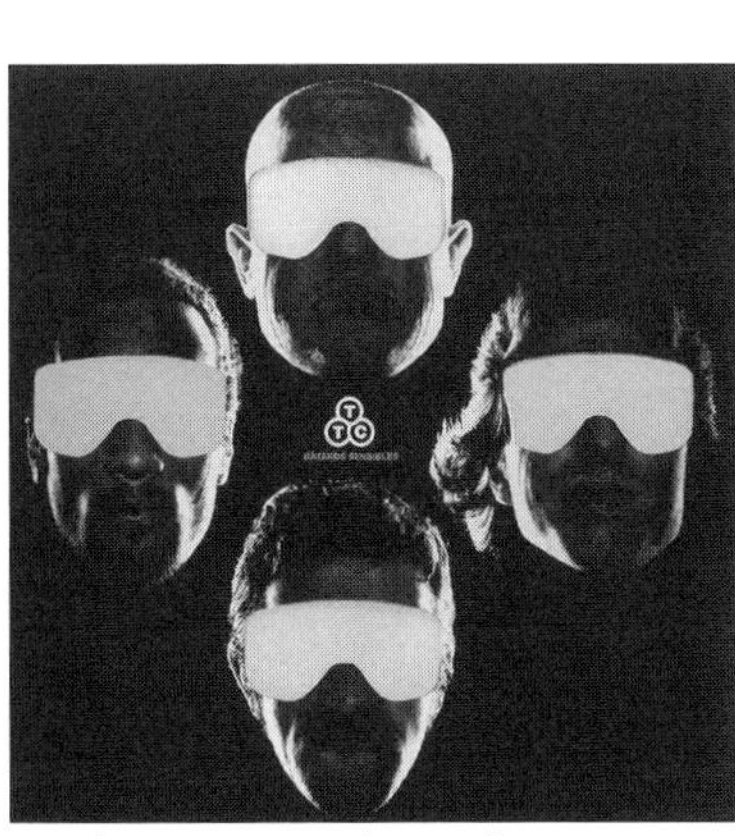

TTC《Bâtards Sensibles》2004年

は、スタイルにおいても他のラッパーと画然と違ったのだが、それでも、ヒット曲の〈Girlfriend（ガールフレンド）〉（2004）などは、ほぼここに訳出することができないほどの「下ネタ」ばかりでできている。つまり、セックスとパーティとドラッグにあけすけな欲望を隠すことなくリリックに込めた連中として、記憶に残る。フランスの社会が抱える諸問題にいっさい関わりなくとも、ラップは存在し得ること――そのこと自体を別に非難するつもりもないが――は、彼らによって証明されたのかもしれない。むろんアンガジェ（政治参加）することだけがラップの前提条件ではない。

アブダル・マリクとメディーヌ 9・11と宗教とラップ

政治と混同しない信仰とは何か

第一章では、ここまでおもに、ラップ・フランセのオリジネイター以後、いわゆる黄金世代（私は「第二世代」と呼んだ）について述べてきた。時代区分的には、二十世紀の終わりから二〇〇五年秋の「暴動」以前までの、だいたい七年か八年の期間を対象としてきた。だが、大事なファクターを落としている。

9・11だ。

二〇〇一年九月十一日、アメリカの世界貿易センタービルに二機の旅客機が突っ込んだ日から、フランスで何が変わったのか。

たとえば、同年十月六日。9・11から一か月も経っていない日。パリ郊外のスタッド・ド・フランスというサッカー場では、フランスとアルジェリアの「友好試合」が行われた。アルジェリアがフランスから独立したのが一九六二年*B。以後、フランス本土では一度も両国代表の間で試合が行われることはなかった。四十年越しの、複雑な

*B 1830年、オスマン帝国領だったアルジェリアにフランスが侵攻し、一方的に統治宣言をして占領。以来132年にわたってフランスはアルジェリアを支配した。

思いの絡んだ試合だった。当時フランス代表には司令塔ジネディーヌ・ジダンをはじめ、各ポジションに卓越した才能がいて、歴代最強の評判も高かった。

試合開始前のフランス国歌「ラ・マルセイエーズ」の斉唱の段階でスタジアムにはすでに異様な雰囲気が醸し出されていた。ブーイングが起きたのだ。それでも試合は開始され、予想どおりフランスがボールを支配し、後半三十分過ぎまでで4対1でフランスがリードした。異変が起きたのはちょうどそのタイミングで、後半のロスタイムを入れても残り時間は二十分程度かと思われたときだった。アルジェリア・サポーターが自国の国旗を振りながら、ピッチに乱入し始めたのだ。警備員が捕捉に走る。だがサポーターは次から次へと流入し、おおよそ百人程度がピッチ上に入りこんだ。試合は中断され、周到に計画されたはずの両国の「友好試合」はその後、二十年が経過した今も、再開されていない。つまり、あのとき、サポーターが乱入して中断した試合はいまも宙づりになったままなのだ。そして、忘れてならないのは、アルジェリアのサポーターの中には「ビンラディン！」と叫ぶ者がかなりの数にのぼったということである。

9・11以後、フランスのバンリューに住む若者たちの心理には、あの事件が、あの崩落するビルの映像が大きな影を落とした。そのことを直截に述べたラッパーとして、まず、Abd Al Malik（以下、アブダル・マリク）を挙げよう。彼の曲〈12 septembre（ドゥーズ セプタンブル）

〈2001（ドゥーミルアン）（以下、二〇〇一年九月十二日）[57]〉のリリック。

ツインタワーが攻撃されたとき、
すでに頭のおかしな連中はたくさんいた
ツインタワーが消えたとき
もう狂ったような連中がたくさんいたんだ

俺の内側では衝撃を受けていたし、言わなければならないが、
もし俺が信仰をもっていなかったら、
ムスリムであることを恥ずかしく思っただろう
そのあと、世界中の人々に、俺たちは見せなくてはならなかった
俺たちも同じ人間でしかないということを
狂信者はいるけれど、
俺たちの大部分は、
信仰と政治を混同したりしない、と

大部分の「狂信者」ではない人々にとって、右は正直な感想だろうが、ではあなた

57 **12 septembre 2001**…YouTube 公式チャンネルで視聴可。https://www.youtube.com/watch?v=coYMq0ILHIs

にとって「政治」と混同しない「信仰」とは何か、という問いはすぐさま、ほかならぬ彼に返ってくるだろう。アブダル・マリクはその質問に答えることになるが、そのあたりは第三章で述べる。アブダル・マリクという名のスラマー[58]以外で、この問題にまっすぐに突き当たったのは、ラッパーのMédine（以下、メディーヌ）だった。

パニックを起こすな

Médine《11 septembre,récit du 11e jour》2004年

メディーヌ。本名はメディーヌ・ザウイシュ。一九八三年、フランス北部の港街ル・アーヴル生まれ。ディン・レコーズを率いている。彼が最初のアルバムをリリースしたのは二〇〇四年。タイトルは《11 septembre, récit du 11e jour》というもので、訳せば「九月十一日、十一番目の日の物語」。以後、アルバム制作順に、《Jihad, le plus grand combat est contre soi-même（ジハード、最大の戦

58 **スラマー**…ラップよりもさらに淡々とリリックを朗読する、一種のポエトリーリーディング。

いはあなた自身に対するもの）》（2006）、《Arabian Panther（アラビアン・パンサー）》（2008）、《Protest Song（プロテスト・ソング）》（2013）、《Prose Elite（選り抜きの散文）》（2017）、《Storyteller（ストーリー・テラー）》（2018）、《Grand Médine（偉大なるメディーヌ）》（2020）。右のスタジオ録音盤以外にも、ミックステープやEPにも力を入れている。とりわけ彼がアルバムのなかで書き継いでいる物語、「Enfant du Destin（運命の子ども）[59]」は気になるところだ。

Ni violeur ni terroriste（強姦者でもテロリストでもなく）[60]

嵐が、イスラムから、バンリューからやって来る
暗黒の土地に住むアウトサイダーたち
覆いの下に隠れ、輸送ライン上に身を置く
奴らの髭は伸びすぎていて、空港では禁止されている
移民はまじめすぎるから、何かを覆ってしまう
奴らの鞄には、包丁とカッターと折り畳みナイフ
爆発しそうなカバンには飛行機操縦のマニュアルも
テレビのロボトミーたち

59 **Enfant du Destin**…YouTube 公式チャンネルで視聴可。https://www.youtube.com/watch?v=ay7tCdEEKJ8

60 **Ni violeur ni terroriste**…YouTube 公式チャンネルで視聴可。https://www.youtube.com/watch?v=9ucIGxZniH4

メディアは、証拠が一切出されていない裁判の判事たち
キロ単位の、大量の偽情報の供給者どもだ
テロリズムとイスラムを同一視
俺のゲットーでは、飛行機を怖がってる
女性たちは、シンデレラより圧倒する*C
文化がないせいだ*D
ウサマ・ビン・ラディンという文字の落書きが壁に書かれる
九月十一日、記憶にとどめるべき日
俺たちの未来の一部分を突き動かす日付として
無償の暴力が始まるとき、
《冒瀆者でもなく、テロリストでもなく》というスローガンが
心をかき乱す

以下、リフレイン。「強姦者でなく、テロリストでもなく、男尊女卑野郎でも、ポン引きでも、テロ野郎でも、ふざけた奴でも、死刑執行人でも、ジゴロでもなく／冒瀆者でも、テロリストでも、乱暴者でも、クズでも、高慢な人間でも、卑劣漢でもない／冒瀆者でも、テロリストでもなく／手すりにつかまったようなバンリューの例を

*C 女性たちは強い、ということを間接的に言いたいのだろう。
*D 次の行の壁の落書きについてである。

示すのはゲットーのため／強姦者でも、テロリストでもない／人間のため、悪魔のため、ヒジャブ[61]とジーンズのため、アブバクル[62]とメディーヌのため」。

アブダル・マリクが書いたような、信仰と政治を混同してはいけない、という意味で穏当な提言は、ここにはない。メディーヌはもっと直接的だ。

まずこの歌は、二〇〇一年九月十一日の出来事が引き起こした精神的外傷に対する一つの返事になっている。メディアが操作しているイスラムの教えやイスラム教徒をめぐる歪曲された像とは別の姿を提示したいという深い思いがある。だからメディーヌは濁声を発しているのだ。性急な、必死の思いがある。それが数年後、彼のスローガン「俺はムスリムだ、パニックを起こすな」に結実する。実際、私たちがメディーヌというラッパーに対して抱く最初のイメージは、このスローガンから来ている。

I'm muslim Don't panik[*E].メディーヌのキャッチーなフレーズは、前述のアルバム《九月十一日、十一番目の日の物語》に含まれる象徴的な曲から、時間をかけてゆっくりと醸成されてきたものだ。このフレーズについてもう少し言えば、「パニックを起こすな」というよりも、「怖れるな」に対する返答、という性格が強い。メディーヌ本人がこのフレーズについて、解説した文章がある。社会学者のパスカル・ボニファスとの対談。ボニファスの発言の要旨はこうだ……。

*E 英語だと panic だが、あえて「k」で書いているようだ。

61 **ヒジャブ**…イスラム教徒の女性が頭や身体を覆うために使う布。

62 **アブバクル**…サラフィー・ジハード主義組織 ISIL（イスラム国）の指導者。

この『パニックを起こすな』という言葉によって、あなたは、〈jihad（ジハード）〉という曲に見られたような挑発のモードから、目くばせへと移行しているように思える。Tシャツに「俺はムスリムだ、パニックを起こすな」とプリントしたりする。それは、ジェームズ・ブラウン[63]の『俺はブラックだ、それが誇りだ』に由来する。ただし、あなたの場合、もっとユーモアの領域に踏み込んでいる。「パニックを起こすな」は、非常にさりげなくて、むしろ奇妙な感じさえある。最終的に、緊張関係から劇的な要素を取り除くために、低価格のTシャツを作ったのか。「落ち着け。こうしたすべてはそれでもテロを煽るものじゃない」とでもいう方法だったのか——。

これに対し、メディーヌは実直に答える。

過激な要素を排除するというのは、私が一番最初に意図するものです。私のアルバムで挑発がもっとも存在感があることは本当ですが、期待した効果とは逆のことが引き起こされることもあります。挑発は一つの方法でしかないこと、おもなメッセージへと導くべく、ときとして引っ掻き回すようなコードや記号を使っていることを知るべきです。私の仕事は、いろいろなジャンルのリアクションによってできています。私や、私の地

63 **ジェームズ・ブラウン**…ファンク・ソウルミュージックの神ともいえるアメリカのシンガーソングライター。〈sex machine〉など数々の名曲を残した。2006年没。

元の仲間たち、さらには、同宗者たちのなかで、多くはフラストレーションとして蓄積されてきた主題を喚起することから始めました。(中略)私のアルバムができて、ツアーをやり、人々と出会いを重ねてくるにつれ、私は、恐怖の状況を生み出している様々な問題に、自分が直面しているのだとわかってきたのです。友人のアラッサヌ&プルーフとの会話を通じて、私は、これまでの挑発というスタイルから、皮肉まじりの脱ドラマ化のほうへ私の言説の方向を変える、というところに行きついた。頭を使ってこの社会に鏡を差し出すことのほうが、暴動のサインとして鏡を割るよりもずっと効果があるのだと思います。「パニックを起こすな」は、それ自体は皮肉っぽいですが、物事を開始し、次の段階を理解するためのものです。このスローガンは、フランスを覆っている幻想を具体化したもので、誰かに発音されて初めて意味をもちます。私はラッパーであり、バンリューの住民であり、ムスリムであり、髭を生やしていて、アルジェリアの移民出身です……。挑発から皮肉交じりの脱ドラマ化へと移行したことは、一つの目的でしかないのです。目的とは「集まる」ということです[64]。

過激な方法を過激なまま「挑発」することには、暗い未来しか待っていない。挑発を脱過激化する、脱ドラマ化することで薄めてしまうのではなく、別の方角へと少しだけ変化させること。メディーヌは少なくとも二〇一二年段階ではそう信じていた。

64 引用…Pascal Boniface, Médine, *Don't Panik*, Desclée de Brouwer, 2012, p.16-17.

9・11のあと、自分はどのような態度を採るべきか。真剣に考えた挙句の行動だった。皮肉を交えたり、Tシャツにプリントすることで何かが達成されるとは思えないが、メディーヌのキャッチフレーズは流通した。俺はムスリムだ、パニックを起こすな。だが、数年後、シャルリ・エブド襲撃事件[65]が起きたとき、メディーヌはこう言わねばならなかった。俺はムスリムだ、ドント・ライ、、、、ック。つまり、ライシテ[66]を信用するな、と。そこにはもう、軽妙さで事態の深刻さをかわそうとする姿勢は、微塵もなかった。

65 **シャルリ・エブド襲撃事件**…詳細は第3章を参照。
66 **ライシテ**…フランスにおける政教分離のこと。国家や学校など公的な空間から宗教色をなくす「非宗教性」も含まれる。

第二章

CONTRE SARKO

サルコジに抗して

ケニー・アルカナ　人類へ

サルコジ登場

ニコラ・サルコジ[1]という名前の大統領がいた時代は、じつは二〇〇七年から二〇一二年までの五年間に過ぎない。ただ、二〇〇七年の大統領選挙の決選投票で社会党のセゴレーヌ・ロワイヤルを破ったとき、すでに彼は有名人であり、舌禍事件をたびたび引き起こす要注意人物だった。内務大臣時代の二〇〇五年六月には、セーヌ・サン＝ドニ県のラ・クルヌーヴにあるカトルミル団地で、「こんな団地、ケルヒャー[2]で掃除してやる」と発言した。同年十月二十五日、今度はパリ近郊ヴァル・ドワーズ県のアルジャントゥイユにおいて、団地の若者を「クズ」と呼んで問題視された。十月二十七日に例の「暴動」が起きる、ほんの二日前の出来事だった。

簡単に言えば、ケルヒャーとクズ、なのだ。サルコジの脳裡をよぎったものは。日本では高圧洗浄機としてもっぱら知られている、あの黄色いケルヒャーは欧州では掃除機としての世評が高く、吸引力は抜群、クズのような人間だって吸える！　サルコ

1 **ニコラ・サルコジ**…第23代フランス大統領。新自由主義政策を採る親英米派。モットーは「もっと働き、もっと稼ごう」。

2 **ケルヒャー**…ドイツの清掃機器メーカー。黄色い機体の高圧洗浄機が有名。

ジがそう思ったかどうかわからないが、人間を掃除機で吸い取るという発想が根本的に誤っており、言った本人は気分よく啖呵を切ったつもりかもしれないけれど、言われた側はたまったものではない。何しろ、人間扱いされていないのだから。掃除機で掃除できる程度の存在と罵倒されれば、自分のアイデンティティは揺らぐ。

哲学者のアラン・バディウ[3]は、ニコラ・サルコジ大統領の基本的な態度を「似非ペタン主義[4]」としたうえで、以下のように述べている。

こんにちの似而非「ペタン主義」が主張するのは、世界の諸法則、すなわちヤンキー型の世界の法則、権力への服従、金持ちによる支配、貧者のつらい労働、すべての者への監視、フランスにやってきた外国人に対するステレオタイプの嫌疑、われわれと同じ生活をしない人々に対する誤解だけをフランス人は受け入れておけばよく、そうすればすべてが良しとなろう、ということである。（ペタンと同じように）サルコジの計画は、労働、家族、祖国である。労働——もしあなた方が何かを得たいなら、いやになるまで残業時間に働きなさい。家族——相続税の廃止、相続財産の恒久化。祖国——こんにち、民衆の称賛に対して貧弱な恐怖しか祖国を際立たせるものが何もないにもかかわらず、フランスは素晴らしい、フランス人であることを誇りにしなければならない。つまるところ「フランス人」（サルコジ？）は「アフリカ人」（誰のこと？）よりも優れているのだ[5]。

3 **アラン・バディウ**…モロッコ出身。ドゥルーズ、デリダなきあとのフランス最大の哲学者といわれる。政治思想はマルクス主義を基盤としつつ、数学とプラトン、ヘーゲルをベースに「出来事」を思考するのが特徴。

4 **ペタン主義**…フィリップ・ペタンは、第二次世界大戦時のドイツ占領下のフランスで「ヴィシー政府」（対ナチス協力内閣）における重要人物。

5 引用…アラン・バディウ『サルコジとは誰か？』榊原達哉訳，水声社，2009, p.26.

こうした態度が、社会を分断し、格差を助長し、社会的に弱い立場の人間をゲットーに隔離し、*A 切り捨てる政策に直接つながっていることは誰が考えても明らかなのだが、私がここでそうした批判を反復しても単なる繰り返しになるだけだろう。一点だけ補足する。最後の「アフリカ人」への偏見は、サルコジが大統領になって最初に選んだ外遊先セネガルでの演説で、再び顕在化することになる。「ダカール演説」と呼ばれる、セネガルの若者たちに呼びかける形で行われた講演において、サルコジは「アフリカの惨劇はアフリカの人間が歴史のなかへ充分に入っていない、ということである」と述べ、この歴史認識の誤謬は世界中から非難を浴びることになった。

むろんラッパーたちはサルコジの「ケルヒャー」と「クズ」に鋭く反応する。もっとも激しく、敵意を剥き出しにしたラッパーは、Keny Arkana（以下、ケニー・アルカナ）だった。ケニーを初めて見たのはいつだったろうか。はっきりとは思い出せないが、彼女の動画をあれこれ見ていたなかの一つがとりわけ記憶に残っている。ある音楽賞の受賞式。どんな音楽賞か、動画にはクレジットがない。簡素なステージが設えてあって、舞台袖からマイクをもったケニーが現われる。まったく着飾ってなどいない。いつもと同じいでたち（頭部を大きく包むバンダナ、フード付きスウェット）。観客はやや引き気味だ。ステージ上では、ケルヒャーとおぼしき掃除機をもつ者がい

*A 政治学者のエティエンヌ・バリバールは「アパルトヘイト」と呼んでいる。

る。サルコジの似顔絵をお面のようにして顔に貼り付けている者もいる。ケルヒャーの黄色い掃除機が押しつけられているのは、サルコジのはりぼて。お前（サルコジ）のほうこそ吸い取ってやる、との意志が彼女の舞台に溢れている。むろんこうしたパフォーマンスを会場の全員が愉しく享受しているわけではない。露骨な（しかも特定の）政治家批判に対して、顔を顰める人もいる。実際、会場ではそうした人々が散見される。だがケニーは一顧だにしない。自分の信念を、考えを、歌に込める。憤りとしか言いようのない感情が迸る。リリックは――。

Nettoyage au Kärscher（ケルヒャーで掃除）[6]

フランスは変わる！
友達とよく話してた、
ケルヒャーで掃除するなら、希望してでも行こうかな、と
偽りの、策略家ども
OK、クズを掃除するためなら、
ケルヒャーでエリゼ宮を掃除しに出発だ
政治家の姿をした、実業家ども

6 **Nettoyage au Kärscher**…YouTube公式チャンネルで視聴可。https://www.youtube.com/watch?v=8cmM8VC_FPc

下層民の願いもむなしく、国を自由化して、
民主主義を規制する、自分たちの法律を通すためにだ
自分たちの命令を通すために。
民衆が「もう充分」って言ったときでさえも
恥ずかしい政府、何にも解任につながってない
この国の歴史上、一番バカな政府
憲法四十九条第三項[7]、抑圧、夜間外出禁止令
時代遅れの、お前の第五共和制は、急に老け込んで
あたしたちのうんざりした気分が高まる

サビはこうだ。

ケルヒャーで掃除、クローゼットから資料[8]をとりだせ
クズのなかでも一番デカいのが身を潜めているのが、エリゼ宮（大統領府）
ケルヒャーで掃除
《恥ずかしい政府、解任に結びつくものは何もない》

7 **憲法49条第3項**…フランスの議会（下院）の多数決を回避する手立てで、憲法の規定に処る。内閣を信任し、下院で法案を内閣の一存で通すという制度。2016年に大きな反対運動が起きた。

8 **資料（dossiers）**…「恥ずかしい事実」という意味もある。

「ケルヒャーで掃除」（カタカナで表記すると、「ネットワイヤージュ・オ・カルシェール」）という言葉だけがずっと耳について離れない。ケニーの、女性の声としては低いそれが、ずっと頭のなかに残響している。

ケニー・アルカナとはいったい誰か？

一九八二年十二月、パリ近郊のブーローニュ・ビアンクール生まれ。南仏マルセイユ育ち。アルゼンチン系の両親。ただ、彼女の細かなプロフィールはわからない。生い立ちや教育、そんなことはどうでもいいと考えているのだろう。必要なことは、ストリートにある連帯。それこそが彼女を支えている、と（一応）言うことはできる。リリックや政治的活動における彼女の言動を眺めるかぎりにおいて。

ただ、こうした私の書き方は、やや不誠実でもある。じつは、ケニー・アルカナをめぐる文章で、世界でもっとも充実したもの（少なくとも私はそう思っている）が日本語で読める。鈴木望水による一連の論考は、「ケニー・アルカナ　あるいは、革命の詩聖女」というタイトル。「I　詩人の誕生」「II〈バビロン〉との闘い」「III〈テロ〉後の世界を生きる」の、三つの章に分かれている[*B]。彼女のリリックを読み、世界との闘いを支援し、二〇一五年の「テロ」以後のケニーの動向を追う、充実した思考の成果を、実際にぜひ確認して欲しい。ここでは鈴木氏に許可をもらったので、論考を要約しつつ、私の不足を補ってみたい。

---

*B　この3つの論考は http://pubspace-x.net/pubspace/archives/tag/%E9%88%B4%E6%9C%A8%E6%9C%9B%E6%B0%B4 で読むことができる。

まず、ケニーの幼少期からの生活について。彼女のリリックの随所にその一端は表現されている。小学校では手のつけられない「不良児」。施設に入れられていたが、薬物を飲ませて子どもを黙らせる手法が常態化していて、ケニーは幾度も逃亡を試みる。宿を転々としながら、孤独とも戦わねばならない。十三歳、路上で眠ることを覚え、十四歳から独房に入れられ、十五歳で「囚人服」。路上と刑務所の往復から、なんとかして抜け出さなければならない、とケニーは歌う。学校には行かなかった。公教育を放棄した。学校嫌い、というよりも、何の疑問もなく人々が生きている世界が信じられなかった。自分の居場所がなかった。仲間と呼べる存在もなかった。一人だけ。孤独に疲れる人生を、そんな十代をケニーは送る。

でも何かが違う。自分はいま孤独だけれど、闘うべき相手は周りの人間たちではない。本当の敵は〈バビロン〉だ。ケニーは気づく。〈バビロン〉は「富を独占する一部の人間のエゴイズムに支配された世界」（鈴木、前掲サイトより）を指す。自分たちから搾取を繰り返すこのシステムを壊さないかぎり、あたしたちは不幸の淵に沈んだまま。〈バビロン〉を壊すための道具、そのための言葉がラップだった。ケニーのリリックに多くの星や月がちりばめられているのも、同じ思想に由来する。自分の考えを託す言葉こそが「月」なのであり、その周りにきらめく「星々」は、言葉によって掴み取る世界そのものなのかもしれない*C。

*C ここまで、鈴木望水「ケニー・アルカナ　あるいは、革命の詩聖女」「Ⅰ　詩人の誕生」より要点を抜き出している。

〈バビロン〉は複雑だ。自分の周りにある権力装置も〈バビロン〉の一端かもしれないが、それはごく一部に過ぎない。大きく言えば現状の支配構造こそが〈バビロン〉であり、グローバリズムこそが〈バビロン〉の構造の正体なのだ。いまあるこの世界はすべて〈バビロン〉の作り出したものだとすれば、あたしたちは「別の世界」を構築しなければならない。「別の世界は可能だ」と言わなければならない。別の世界主義、とでも言えようか。イグナシオ・ラモネ[9]に由来するこの主義を、ケニーは別の形で応援している。別の世界の構築のためにケニーはLa Rage du Peuple（ラ・ラージュ・ドゥ・ピュプル）（人民の怒り）という集団をマルセイユで立ち上げる。ステージのケニーが身に着けているバンダナやTシャツに書かれているLa Rabia del Puebloは、この「人民の怒り」のスペイン語訳。

人間の魂をこのシステムから救済しなくてはならない。ケニーのラップはそのための道具となる。「地獄ともつかない王国を讃え、鳥かごを守るために死んでいく抑圧された人々よ。鳥かごはあたしたちの魂も何もかもダメにする。工場の色や鉄格子。壁があたしたちを取り巻いて、視界は覆われる[*D]」。完璧と思われる〈バビロン〉の壁に、言葉のハンマーでもって小さなヒビを入れるのだ。このとき、現今の政治に反発するだけの思想ならば、それだけのこと。さらに深く、意識の最深部にある魂を回復するために、ケニーは言葉を紡ぐ。彼女のリリックがある種の普遍性に達しているように思えるのは、この所以だ[*E]。

9 イグナシオ・ラモネ…フランスのジャーナリスト。『ル・モンド・ディプロマティーク』元編集長。

***D** 鈴木望水訳「抑圧された人々」Gens Pressés より

***E** 鈴木望水「ケニー・アルカナ　あるいは、革命の詩聖女」「Ⅱ　〈バビロン〉との闘い」より。ここで鈴木はケニーの「万物は太陽を廻る」の詩の素晴らしい分析をしている。

ただこうした彼女の態度も、二〇一五年にパリで起こった複数のテロ事件を契機に少しずつ変わっていく。二〇一三年のコンサートを最後に私たちの前から姿を消していたケニーは、メキシコのサパティスタ解放自治区でしばらく暮らしていた。二〇一四年の終わりにはマルセイユに戻っていたというが、そこへ二〇一五年一月、シャルリ・エブド襲撃事件が起こる。十一月には同時テロ事件が起こる。ケニーは、音楽へと回帰する。

Keny Arkana《Etat d'urgence》2016年

そして二〇一六年五月、六枚目のアルバムをリリース。《Etat d'urgence（緊急事態宣言）》と題されていた。鈴木望水は、このアルバムのなかで、特に〈Une Seule Humanité（人類はたった一つ）[10]〉という曲に注目している。歌の内容はおおむねこんな感じだ。

自分たちの心の平穏から遠ざかってしまい、他人とどうやって平和にやっていけるか、わからない、無関心は平和で

---

10 Une Seule Humanité …YouTube 公式チャンネルで視聴可。https://www.youtube.com/watch?v=ECz8lEtPYeU

はないし、解決は蜂起にはない、変貌の道は人間の心のなかにある……もう一度、軽やかになろう、子どもみたいに軽やかに、羽みたいに軽やかに、そよ風みたいに軽やかに、たった一つの、同じ、人間。私たちは一緒だ！と。

組織ではなく個として

ケニー・アルカナは変わったのか？ 憤りをそのままリリックに託していたケニーはどこへ？ サルコジをケルヒャーで掃除していたケニーはいなくなったのか？ だが鈴木は、そうではない、と言う。ケニーが言っている「人間」とは人間性のことではない。人間主義のことでもない。「~性」や「~主義」は、大きな存在を分断しているだけ。だから、ケニーは人間主義者ではない。あえて言えばvivantiste（生きもの主義者）だと自己定義している。レッテルをすべて拒否し、単なる人間として生きている。それが私なのだ、とケニーは言う。閉じた共同体主義や国家をどんどん解きほぐしていくことの先には、人間がぽつりといるだけだ。だから警察に対しても敵対する態度をケニーは放棄している。警察官の意識を高めるために、非番の日に彼らと出会い、話をしなければ、とも。

こうした活動をシニカルな意味でケニーは言っているのではない。そこが面白い。

それがそのままリリックに反映されている。人間が一人で、組織化せずに、仲間と連帯している状態こそがケニーの評価する地点だ。政党になったり、利益を共有したりすれば、それは〈バビロン〉と同じ手法なのだ。

あくまでも個人で、人間として抵抗し続ける――ケニー・アルカナはずっとそこにいる。


二〇二一年、じつに五年ぶりにケニー・アルカナは新しいアルバムをリリースした。《Avant l'exode》というタイトル。訳せば「大移動の前に」くらいか。エグゾードはつまりエクソダス[11]。彼女はこのアルバムをめぐるインタビューのなかで、「これは本当なんだけれど、あたしはいつも鼻歌をちょっと歌ってた。頭のなかにメロディがたくさん渦巻いている」と語っている。その証拠は、〈Enfant de l'insomnie（不眠症の子ども）[12]〉という曲にくっきりと表れている。歌とラップの二項対立が完璧な表現にまで高められているのだ。

音楽評論家のオリヴィエ・カシャンは、ケニーのウェブサイトで彼女のミュージシャンとしての来歴を語ったうえで、このアルバムの達成について語る。その文章はこう結ばれている。「彼女は彼女の仲間のために歌う。マルセイユという街のために歌う。人間の倫理をはっきりと示し、特に、私たちに、たった一つの感情を表現してみせる。

11 **エクソダス**…国外脱出。旧約聖書にあるイスラエル人の出エジプトに由来する。

12 **Enfant de l'insomnie**…YouTube 公式チャンネルで視聴可。https://www.youtube.com/watch?v=rBta0t3kw2o

それは大いなる芸術家の表現だ。《大移動の前に》は、マルセイユ発のエレクトロショックである。そして、今度こそ、たしかに、ケニー・アルカナは戻ってきた。危ういところだった」、と*F。

*F Keny Arkana, official website、https://www.keny-arkana.com/bio/ の BIO の項目に寄せた音楽評論家オリヴィエ・カシャンの文章による。

ケリー・ジェイムス　ヤバい兄貴

映画『バンリューの兄弟』

Kery James（以下、ケリー・ジェイムス）が監督としても参加している映画『バンリューの兄弟[13]』（2019）は、タイトルのとおり、バンリューに住む三兄弟が主人公。原題が『Banlieusards（バンリュサル）』だから、文字どおりに訳せば「バンリューの住民たち」だろう。現在、Netflixで配信中。原題のとおり、三兄弟だけで世界ができているわけではなく、舞台として選ばれた、彼らの住むヴァル・ド・マルヌ県のヴォワ・ラベ地区の「人々」が世界を構築している。逆に言えば、この狭い地域が総てであり、外部は存在していない。三兄弟は、地元のギャングになった長男デンバ（ケリー・ジェイムス本人が演じている）、弁護士を目指す学生で、弁論大会のファイナリストに選ばれた次男スレイマン、中学に通っているが問題児の三男ヌムケ。身体の悪い母親は、次男と三男と一緒にＨＬＭ（低家賃住宅）に住んでいる。九階。兄弟、特に次男と三男はそれぞれに問題を抱えている。末っ子のヌムケは純情だが強情で、母親が疎んじている長男のデ

13　**バンリューの兄弟**…パリの郊外を舞台にフランスの格差社会を描いたフランス映画。

ヴァルド・マルヌ県ヴィトリイのバンリュー。殺風景な団地が立ち並ぶ。（写真提供：EQRoy / Shutterstock）

ンバに親近感を覚えている。母親がどうしてデンバをこき下ろすのか？　彼がドラッグや銃の売買で身を立てているギャングだからだが、このとき、彼らの父親の不在は際立つ。映画はこの二人スレイマンとヌムケが抱える問題を直截に描くことで成立している。

スレイマンから。長身痩躯。前述のごとく、彼は大学の法学部の学生で、弁論大会のファイナリストに選ばれている。彼と決勝で争うのが、友達のリサ・クレーヴクール。人種と性別について特に書く必要がなかったからここまで書かないできたが、彼女だけが白人女性である。パリに住んでいる。家庭は裕福で、インターンとしてロンドンの有名企業で働くことも決まっている。二人の討論のテーマは、いわゆる「郊外問題」。フランスの郊外の現在の状態について、国家は責任を問われるべきか？　この一点をめぐって公開討論する二人（郊外の黒人男性、パリ市街地に住む白人女性）が映画のクライマックスを飾る。

一方、ヌムケは、少しぽっちゃりした体型の、純朴そうな中学生だ。だがそんな彼が悪い友達と付き合うようになり、暴力事件を起こしたり、デンバと対立するグループのザーリから二万ユーロを盗んだりする。大金が部屋に隠してあるのを見つけた母親は、スレイマンに相談。ヌムケから事情を聴き出したスレイマンは、この手の揉めごとに慣れている兄デンバに会いに出かける。デンバはザーリと話をつける。一件落着したかに思えたが……。結局、一家はバンリューの内側で様々なしがらみから逃れることはできないし、まともな仕事にもつけない。デンバやヌムケやザーリだけの問題ではない。弁護士になって界隈で起こるヤバい事件を片づけるのだ、と話していたスレイマンでさえ例外ではない。ずっと友達で恋人未満だったリサとの関係も、境遇が違いすぎるという理由で関係の境界線を越えることができない……。

ネガティヴなことばかり、映画から抜き出しているのかもしれない。それ以外の要素ももちろんある。

バンリューやシテがどんなに悪の触手から逃れていないとしても、たとえば自分の住んでいる団地の屋上から街を見下ろしてみれば、そこにあるのは小さいながら魅力的な光が瞬いている小宇宙。スレイマンは実際そうした光景をリサに見せたくて、彼女を自宅の屋上に招待もするのだ。息を呑む美しさにリサは衝撃を受ける。あるいは……。学校で暴力事件を起こし、自分の身体のひ弱さにショックを受けたヌムケはボクシングをやりたいと言い出す。地元にあるボクシング・ジムに通う。そこには一癖も二癖もありそうなトレーナーがいて、ヌムケにボクシングを教えてくれる。そのトレーナー、ドミニックを演じている彼こそ、マチュー・カソヴィッツだ。本書でもすでに何度も言及したとおり、一九九五年に監督した映画『憎しみ』で「郊外」を描き、その後の郊外の表象に圧倒的な影響を与えた人物。ケリー・ジェイムスの「郊外の人々」を描いた映画にも、彼の姿は不可欠だろう……。

しかし、どうしてボクシング・ジムのトレーナー役なのか？　小さな理由が二つある。一つは、九〇年代からずっと、ボクシングは、フランスのラップのMVには常に表象として織り込まれてきたアイテムだということ。NTMの〈Qu'est-ce qu'on attend（何を待っている?）〉のMVや、ゼフュ（後述）のヒット曲〈molotov 4[14]〉の動画を参照されたい。二つめは、カソヴィッツの近作に『負け犬の美学』（サミュエル・ジェイ監督、2017）があること。カソヴィッツはこの映画で四十歳を過ぎた熟年ボクサーを演じている。ボロボロになった肉体を抱えながら、ヨーロッパ・チャンピオンのスパーリングの相手に立候補する彼は、家族のためにあえて危険な道を選ぶ……。

14 molotov 4…YouTube 公式チャンネルで視聴可。
https://www.youtube.com/watch?v=Nzt7puchIdA

つまり、カソヴィッツは「郊外」と「ボクシング」の両方を象徴する記号として、『バンリューの兄弟』に一瞬だけ、顔を見せているのだ（実際、映画の大筋と彼は無関係である）。

映画の中心に立ち戻ろうか。フランスという国は、政府は、現在のバンリューの問題に責任があるのか？　という問題設定である。ケリー・ジェイムスはラッパーとして一貫してこの問いを叩きつけてきた。一貫して、だ。どの曲も、どのアルバムも、ケリーにとっては同じだ。バンリューに巣食っている人種差別や貧困や困窮は、どうしたらいいのか。そこに住んでいる若者はどうやったら自分に誇りがもてるのか。どうすれば彼らは未来を展望できるのか。

この問いは、そのまま映画の最後、弁論大会のファイナルで、スレイマンとリサが闘わせる議論である。弁論大会は交互に自分の意見を相手にぶつける形で行われる。スレイマンは郊外の貧困は政府のせいではない、とする立場。リサは政府に責任ありとする立場。それぞれの立場から相手を説き伏せようとする。ジャッジする者、四人。聴衆が数十名。デンバとヌムケも聴衆としてじっと聴いている。整然と彼らの戦わせる議論に耳を傾ける。重厚な権威を感じさせる講堂——。

スレイマンは淀みなく語り始める。

「解放！　解放！　私の言説は、解放と責任の話となるでしょう。明らかなことは、それは犠牲の話になる、ということです。フランスのバンリューの現状は、国家だけに責任があるのでしょうか？　ご列席の審査員の方々、私たちに示された問題は、もっと大きなもっと普遍的な二つの問題を含んでいるように思えるのです。一つは、統治されているという事実は、市民たちにあらゆる責任を免れさせるのか？　ノン。単に統治者たちがいるからといって、あらゆる責任が統治される側から免除されるわけではありません。バンリューは、新生児を託すことのできるオープンで巨大な託児所ではないのです！　バンリューには、フランスじゅうでそうであるように、自分たちの歴史に、国の歴史に全面的に関与したいと望む人々がいます。自分たちの選択に責任をもち、自分たち自身に責任をとりたい人々がいるのです。私の意見では、ここにわれわれの主題を含む二番目の問題があります。それは次のようなものです。統治されている人々は、統治する側にしか回収されない権利や義務や責任をもっているのか？　この問題は必然としてネガティヴな反応を引き起こします……」

対するリサは、自分の裕福さを隠さない。その一方で、警察に殺害された人々の名を挙げて、政府の責任を問う。国家の責任を問う。

「私はパリの五区に住むブルジョワの白人。ただそのことを論点にする必要はありません。さきほど、スレイマン本人が、自分こそが『社会的流動性』の見本だと語りました。マルコムX[15]の言葉を借りれば、彼は『黒人使用人』（ハウス・ネグロ）です。または

---

15 **マルコムX**…アフリカ系アメリカ人の人権活動家でイスラム教の指導者。過激な言動で注目を集め公民権運動（1950-60年代）で活躍したが、暗殺された。黒人解放運動に大きな影響を与えた。

彼らの社会でいうところの『褒美』。表面は黒く、中は白い*G（場内が騒然とする）。ジエドとブーナ、アリ・ジリ、アダマ・トラオレ、みんな直接または間接的に警察や軍隊に殺されました。『政府に落ち度はなかった』と被害者家族に言えるでしょうか。警察の暴力の対象になるのは、往々にして移民です。これらの事件では警察の罪は問われないか、問われても微々たるものです」

スレイマンもまた自分に言及する。

「まず、私は郊外での生活を夢想したりはしません。カメラのレンズで歪曲したりもしない。郊外に住んでいるからです。そこには理想もあれば、知性もある（自分の頭脳を指す）。夢もある。でも人生は選択です。郊外の麻薬の売人が経済的な理由で争う（デンバを見る）。片方が命を落としたら、殺人は政府の責任か？　政府が引鉄を引かせたのか？　郊外の住民の集会を妨げられる？　そんなことができるとでも？　妨げられるのは、政府ではなく、妬みでもなく、共通の利益の欠如だ。貧困と闘うには二つの方法がある。結束と自衛だ。その選択の問題なのです」

結論。鎧を脱いだ、剥き出しの論争。多くの要素の異なる男女の闘いだ。リサは問う。

「政府とは誰か。あなた？　私？　私たち？　民主主義は仮面舞踏会。49・3（憲法第四十九条三項）は氷山の一角。政府に国民は不在で、内政にも外交にも国民は関与できていない。投票で未来を変えられると思う人は？」

*G　フランツ・ファノン『黒い皮膚、白い仮面』を意識した言い方と思われる。

そう言ってリサは静かに見回す。スレイマンが言葉を被せる。

「自由は事実だ。私は信じているし、宣言する。不正な戦いには決してひるまない。むしろ武器をとる。人生の傍観はしない。私が主役だ。悪夢からは目覚めるのだ。私の願いは、怖れを知らぬ翼で飛ぶこと。勇気は逆境の底から湧いてくる。勇猛に誇り高く、闘いは望むところ。怒りを買おうとも、容赦しない」

リサの声が響く。「政府はあなたではない」

スレイマンが応じる。「私の悲しみが政府の責任であるとは認めない」

「政府は『金持ち』だけではない」とリサ。

「責任を認めることは拷問の被害者だと認めることだ」とスレイマン。

「政府は『白人』だけではない」とリサ。

「被害者意識の享受は、武器の放棄に似ている。被害者に仕立て上げられ、そして敗北する。私の存在自体があなたの方程式を否定する。郊外プラス貧困は、必然的に死や投獄にいたる」とスレイマン。

「政府は、地域に起因するモラルの損傷、つまり人種差別を認識していない」とリサ。

「黒褐色の郊外の住民である私は、あなたの夢想を破壊する。皮肉じゃない。私の居場所は刑務所ではない」とスレイマン。

「政府はメディアと共謀し、国民を二分した。原因を考えることなく、結果を冷静に分析する。でもそこに責任が生じます」とリサ。

「私は決して政府に選択を委ねることはない。被害者か戦士か、私の選択を心に刻んで欲しい」

そう言って、スレイマンはリサのほうを向く。二人は並んで視線を交わらせると、聴衆のほうへ向き直す。聴衆は立ち上がり、拍手。論争の終わり。弁論大会の幕——*H。

二本のマイクをそれぞれにもったラッパーのようなバトルであり、事実、この弁論大会はMCバトルの様相を呈している。相手の実生活をディスり、と思えば理念を朴訥に語る。面白いのは、生活に困ったことのない白人女性のリサが現在の政治を徹底的に批判し、投票が欺瞞だと述べ、バンリューの惨状の原因を政府に帰していることだ。彼女は父親の経営する病院で生まれた境遇を弁論のなかでさらけ出す。対してスレイマンは、黒人でありバンリューに生まれ今も住んでいる。リアリズムに徹して、自分こそがバンリューを表象していると考えている。ラッパーなら「レペゼン[16]」というところだ。その彼から見て、リサの視線は夢想に過ぎない、と切って捨てる。だが一方で、政治の悪の被害者にはなりたくない、とも。被害者になるのか、兵士になるのか、その選択をするのは自分なのだ、と。

スレイマン、いや、ケリー・ジェイムスは二つの選択を提示している。貧困と闘う

*H 基本的に映画の終わりのシーンを聞き取ることで再構成した。配信されている映画の字幕を大いに参考にした。字句や表現は変更したところがある。加えて、スレイマンの言葉は、ケリー・ジェイムスの書籍 *A Vif*（Actes Sud-Papiers, 2017）からも加筆している。この小さな本は、2人の法学部の学生が郊外問題と政府の責任について議論するというスタイルをとっていて、そのまま映画『バンリューの兄弟』のラストシーンのシナリオのような体裁になっている。

16 **レペゼン**…「象徴する＝代行する」を意味する represent が由来。おもにラッパーがマイクパフォーマンスの冒頭で「レペゼン○○！」と自分の出自などを表すときに使われる。

ためには、連帯か自衛か、その選択。もう一つは、被害者か兵士か、その選択。二つの選択のうちどちらを選ぶかは自由だろう。その自由をまず獲得することこそが何よりも大切なのだ、と。選ぶ「私」にこだわる。

ラッパーとして

あらためて、ケリー・ジェイムスについて。一九七七年、カリブ海の島グアドループ生まれ。両親はハイチ系。七歳のときにフランス本土へ移住、パリ郊外のオルリーで育つ。MCソラールとの出会いもあり（なんと、ケリーはまだ十歳だったという）、若くして将来を嘱望される存在となる。既述のように、ヒップホップ集団のマフィア・カン・アフリ[17]に属し、ほかにも複数のグループに名を連ねている（イデアル・Jなど）。ソロ活動に焦点を当てると、いわゆる「コンシャス・ラップ」と呼ばれるジャンルを代表するフランスのラッパー、という紹介がもっとも適切かもしれない。国家の様々な場面での介入に対して、人権を擁護する立場を守るということだ。ラップはそうした人々の苦しみを表現する最上の表現である、というスタンスをケリーは守っている。

ソロデビューを記念するファースト・アルバムは《Si c'était à refaire（もしやり直せたら）》(2001)。以下、二〇〇四年、二〇〇五年とアルバムを着実に製作してきた

17 **マフィア・カン・アフリ**…詳細は p.74 を参照。

Kery James《A l'ombre du show business》2008年

が、彼を取り巻く環境が一変したのは二〇〇八年に発表した四枚目のアルバム、《A l'ombre du show business》において。「ショウ・ビジネスの陰で」と題されたこのアルバムは爆発的な大ヒットを記録。フランスの伝説的なシャンソン歌手シャルル・アズナヴール[18]との共演もあり、このころから、映画監督のリュック・ベッソン[19]やマチュー・カソヴィッツとの共同作業も始まる。その後はラップ界の大御所として、現在まで九枚のアルバムをリリースしている。ミュージシャンとしての彼のスタンスは、以上述べたとおりだし、すでに詳しく検討した映画『バンリューの兄弟』を参照してもらえれば、より明確に伝わると思うが、この第二章が「サルコジに抗する」と題していたことを、（不意に）思い出せば、ケリーのシングルに〈Racailles[20]〉という曲がある。そう、「クズども」という意味だ。サルコジが郊外の若者たちに向けて吐いた、罵倒の言葉である。

18 シャルル・アズナヴール…パリ出身のシャンソン歌手。〈ラ・ボエーム〉〈世界の果てに〉などのヒットソングで知られ、約1億8000万枚のレコード（CD含む）を売り上げた。俳優としても活躍し、フランソワ・トリュフォー監督の『ピアニストを撃て』（1960）では主役を演じた。2018年没。

19 リュック・ベッソン…フランスを代表する映画監督。1990年代に頭角を現し、フランス映画に新しい波をもたらした。代表作は『グランブルー』（1988）、『レオン』（1994）、『フィフス・エレメント』（1997）など。

20 Racailles…YouTube公式チャンネルで視聴可。https://www.youtube.com/watch?v=PBzfCR3FPu4

クズども

（冒頭、「お前たち、もう充分だろ？　クズが集まってもう充分だろ。片づけてやる」という趣旨の音声が入っている。アルジャントゥイユの団地でのサルコジの発言）

クズども！
お前たちをケルヒャーで掃除しなくちゃならない
民衆が覚醒する日、お前たちは高いツケを払うだろう
クズども！
投票に行くことは、お前たちのどれに騙されるのかを選ぶ、という感じがする
だが、投票することで騙されたいと思っている奴もいる
クズども！　共和党でも社会党でも
お前たちのエルメスのバッグに約束事を片づけちまう
クズども！　お前たちは不安定な状況を知らない
俺たちの現実とはかけ離れて生きてるから
クズども！　ストリートはそう考える、俺はそれを音楽にする
まだそれを無視する連中のために、俺は広く訴える

俺はもうどんな政党も支持しない、お前たちのずるいやり方を支持しない
お前たちの選挙公約は、子どもの歌でしかない
クズども！ 同じこと、同じ約束を繰り返し、同じ嘘を吐く
金をつかむ奴もいれば、ブタ箱行きの奴もいる
同じ奴らが危機に瀕し、同じ奴らが苦しむ
クズども！ 同じ嘘つきが同じ口座を不正利用する
同じ係が、同じ大御所にカードを配り、
同じ貧乏人の息子は、拘置されてる
同じ金持ちの息子は、権力の座につくよう育ち、
民衆のなかから男が出てくるのを待ってる
前科欄が空白のままの議員を見つけることのほうが稀だ
システムに対する俺の憎悪はいつも変わらず
奴らのなかの誰が、カユザックに石を投げる？
クズども！ クロード・ゲアン
クズども！ バルカニー
クズども！ ジャン・フランソワ・コペ
クズども！ フィリップ・ベルナール

クズども！ アルレム・デジール
クズども！ アラン・ジュペ
クズども！ 俺がいま名前を引用した連中[21]はみんな有罪判決を受けた……

まだまだ歌は続く。具体的な政治家の名前を見ずとも、この歌がサルコジの「ケルヒャーで掃除してやる」の発言を受けたもの、日本風に言うなら「返歌」であることは明らかである。ただ、「クズども」は俺たちではない。掃除するのは俺たちのほうで、「クズども」はあんたたちのほうだ、とケリーは言っている。「クズ」なのは口約束だけして、金を儲け、同じことばかり繰り返している政治家のほうだ、と。だから選挙にも行かないし、どんな党も支持しない。不思議なのは、ここまでくると、ケニー・アルカナが言っていたこととケリー・ジェイムスの意見とがどこか似てくることだ。ただ、ケニーがある種の普遍的な「人類」を希求する方向に舵を切っていた一方で、ケリー・ジェイムスは相変わらず、反発と憤怒を延々と述べ立てる。このことはやはりケリーの特異性として記憶されるべきだろうと思う。

ケリー・ジェイムスは一ミリだって、ブレていないのだ。

---

21 名前を引用した連中…いずれもフランスの政治家。ジェローム・カユザックは経済や財務を担当するも2015年に脱税容疑で起訴された。クロード・ゲアンは元内務大臣、50万ユーロの外国からの銀行口座入金に関して虚偽答弁をしたとして、被疑者扱いとなった。パトリック・バルカニーは2019年、国庫に関する詐欺容疑で刑を宣せられた。ジャン・フランソワ・コペは2014年に請求書スキャンダルがあった。フィリップ・ベルナールは2008年に詐欺罪で訴追を受けた。アルレム・デジールはSOSラシスムの代表を務めていた80年代後半に架空の職について月給をもらっていたことが発覚した。アラン・ジュペは元首相だが、2004年に不正政治献金疑惑に関与したとして UMP の総裁を辞任。

HK・エ・レ・サルタンバンク　ストリートの匂い

アブデラティフ・ケシッシュ監督の映画『アデル、ブルーは熱い色[22]』(2013)のあるシーン、主人公のアデルがパリの街を歩いている。大勢の人に取り巻かれ、デモに参加する格好に。でたらめに歩いているようにしか見えない。遠くから雑音のように音楽が押し寄せてくる。身体をメロディに合わせていたアデルは突如、「On lâche rien」と叫ぶ。カタカナで書けば、「オン・ラッシュ・リアン」としか表記できないのだが、「あきらめない」という意味だ。その音楽のサビの部分。届く音楽でもその言葉が繰り返されている。

　アデルは幾度も「オン・ラッシュ・リアン」と叫ぶ。血を吐くようにして、叫ぶ。まるでサビの言葉が彼女の身体を支配しているかのようだ。音楽をライヴ

『アデル、ブルーは熱い色』

22 アデル、ブルーは熱い色…レア・セドゥ、アデル・エグザルホプロス主演のフランス映画。原作はジュリー・マロの同題のバンド・デシネ。第66回カンヌ国際映画祭ではパルム・ドールを獲得した。

で演奏している、そのバンドが映画のなかで映ることはない。だが、演奏しているのはHK et les saltimbanks（アッシュカー エ レ サルタンバンク）（以下、HK）という連中で、あきらめないという意味のその歌こそ、少なくとも二〇一〇年前後のフランス社会のなかで（つまり、サルコジの世の中で、という意味だ）、細々とではあるけれど、希望の光を感じさせてくれた。

HKの奏でる音楽は、正確にはラップとは呼べないだろう。ミュゼットとシャアビと、そしてラップが混然一体となったミクスチャーの音楽、と（ひとまず）言えるかもしれない。ミュゼットは十九世紀から二十世紀にかけてアコーディオンをフィーチャーしたフランスのポピュラー音楽の一つ。シャアビはおもにモロッコの伝統的な民衆音楽の一つ。それらが混じり合ったところこそ、HKの音楽の成立する場所。交錯する場所、と言っていい。

On lâche rien（あきらめない）23

俺のシテのHLMの奥から
お前の田舎の奥の奥まで
俺たちの現実は同じ
いたるところで反抗の火が燃え上がる寸前

23 **On lâche rien**…YouTube 公式チャンネルで視聴可。https://www.youtube.com/watch?v=tN0ipJq9nac

この世界に俺たちの席はなかった
俺たちは最初から呼ばれてなかった
豪邸に生まれたわけでもない
父親はクレジットカードをもってなかった
ホームレス、失業者、労働者
農民、移民、サン・パピエ[24]
奴らは俺たちを分断したがった
連中は成功したんだ
俺たち一人ひとりが勝手をしているかぎり
奴らのシステムは繁栄できたかもしれない
でもある日俺たちは目覚めなければならない
奴らの首を落とすのだ
あきらめない
奴らは平等を語った
バカな俺たちはそれを信じた
「民主主義」にはうんざり
それが本当ならとっくに俺たちは知っていただろう

24 サン・パピエ…滞在許可証をもたない者たち。

一票が市場の原理より重みがあるということを
金儲けが大事なのさ
親愛なる愚か者たちよ、
でも、あきらめない（途中まで）

政治的に「参加」しているバンドであり、そうしたリリックであることは、一聴してもらえれば即座に了解されるだろう。典型的なプロテストソング。二〇一二年の大統領選挙では、社会党のフランソワ・オランド候補（のちに大統領）がこの曲を選挙活動に用いた。つまりサルコジに抗して、である（それにしてもフランス社会党の、ラップ好きなこと！）。

HKはもともと、別のラップ・グループの別動隊、という感じの集団だった。元のグループとは、M・A・P。Ministère des affaires populaires（ミニステール デザフェール ポピュレール）の略。「庶民問題担当省」ぐらいの意味。フランス北部の街リール出身。メンバーは、DJのスタンコ・ファット、二人のMC（ディアスとHK）、そしてヴァイオリン担当のアセーヌ・クレイファ、そしてアコーディオン担当のジェオフレイ・アルノン。五人組。二〇〇六年にファースト・アルバム《Debout là d'dans（ドブウラデュダン）（そこに立っている）》をリリース。ラップとミュゼットが混交した、面白いアルバムだった。このアルバムからしてすでに、彼らは政治的な問題を自分たちの活動の中心に据えていた。

たとえば〈Elle est belle la France（フランスは美しい）〉という曲。

息子よ、黙れ
フランスは俺たちのことを愛してくれる
俺たちが違うからじゃない
理解するのは六歳のガキには簡単じゃない
（飛行機の）ラゲージ・ルームで人生を送ることを受け入れること
ご先祖さまは奴隷であることに飽きていた
誰もそんな記憶を忘れないことをいいと思ってない
それに俺はじいさんが歴史の本に出てくるのは見たことがない
インドシナではレイプも略奪も見たことはない
虐殺や奴隷制を見たこともない
アルジェリアの苦しみや痛みや拷問は消えうせて
みんな放り出してしまった……。

圧倒的な量の言葉が、私たち聴き手の前に、フランス社会を鋭く批判するスペクタクルを現出させる。

〈あきらめない〉という歌に戻る。私はこの歌を繰り返し聴く。動画を見る。二〇一〇年のある日、雨模様のデモ行進でこの歌が歌われる。「オン・ラッシュ・リアン」の箇所で、人々の感情が昂っているのがわかる。

（承前）

奴らは平等を口にする
バカな俺たちはそれを信じた
「民主主義」にはうんざり
それが本当ならとっくに俺たちは知っていただろう
一票が市場の原理より重みがあるということを
親愛なる愚か者たちよ
でも俺たちはまんまとやられた
人権よりも、エアバスの売り込みのほうが大事
結局のところ、一つしか法則はない
「より多く売るためにはより多く自分を売る」

フランス共和国は売春国家だ
独裁者たちの歩道で、
奴らの美しい言葉はもう信じられていない
指導者は嘘つきだ
あきらめない

ＨＫがＭ・Ａ・Ｐから離れて、グループを結成したのは二〇〇九年のこと。新しいグループにはマンドールというアルジェリアの民族楽器やギターのような楽器担当以外に、コメディアンや俳優の役割を果たす者も。

最初のアルバムは《Citoyen du monde（世界市民）》。二〇一一年にリリースされている。それからの十年間で、合計六枚のアルバムを制作。ほぼ二、三年に一枚のペースだ。ずっと引用している〈あきらめない〉は、最初のアルバムに入っている。いろいろなサブスクでも聴取可能。だがスタジオ録音の〈あきらめない〉は、端的につまらない。面白くない。聴衆がいないからだ。もっと言えば、この音楽は、ストリートの匂いがしないところでは、音楽としての魅力を半減させてしまう。だから必ずYouTubeで観る。毎度、引き込まれる。YouTubeには字幕で日本語訳が選択できるものもある。ＨＫは設えられた舞台でずっと前かがみで歌う。聴衆はかなりの数だ。ひょっとすると遠くのほうで、アデルが歌に合わせて踊り狂っている可能性だってある。

（承前）

平和や博愛を語るのは、
あんまり馬鹿げていて、あんまり凡庸だ
ＳＤＦ（ホームレス）が路上で餓死して
サン・パピエが追い立てられるとき
奴らはプロレタリアートにパン屑を与える
プロレタリアートをとりあえずなだめるために
奴らは億万長者のＣＥＯどもを責めない
「俺たちの社会にとって貴重だから」
馬鹿みたいに守られている
金持ちと権力者全員
やっぱり、大統領の友達でいるっていうのは役に立つんだな
親愛なる仲間たち、親愛なる「有権者」のみなさま
親愛なる「消費者たる市民」のみなさま
目覚ましが鳴った、ときが来た

ゼロからやり直そう
闘いがあれば希望が生まれる
命あるかぎり、闘う
闘うかぎり、二本足で立つ
立っているかぎり、あきらめない

ストリートの匂いをかぎながら、「あきらめない」と口にする。口々に叫ぶ。そんな動画を見ながら思い出す一人のラッパーがいる。日本語のラッパーだ。ここまで本書ではいっさい日本の話は書かないできた。フランスのラップを主題とするから当然でもある。禁を破って書かせていただきたい。

ECDというラッパーがいた

そのラッパーの名前はＥＣＤ（イーシーディー）[25]という。日本語によるラップの草創期から活躍してきた人物。二〇一八年、五十七歳でこの世を去った。ＥＣＤは、二〇〇三年のアメリカによるイラク空爆以後、サウンドカーに飛び乗った。それ以降、彼のラップはストリートの感覚から離れたことはなかった。なぜこんなことを書いているのか、と

25 **ECD**…日本のラッパー。1987年に音楽活動を始める。2000年代に入ると反レイシズムなどの社会活動に関わるようになる。2018年没。

いえば、HKが〈あきらめない〉を含むファースト・アルバムをリリースしたのが二〇一一年。ちょうどそのころ、ECDも大切なリリックを含む音源を発売しているからだ。

SASPL（特定秘密保護法[26]に反対する学生有志の会）のデモに参加したのは二〇一四年の十月二五日「特定秘密保護法に反対する学生デモFINAL＠渋谷」が最初だった。このときに僕は自分がラップの歌詞として書いたフレーズ「言うこと聞かせる番だ　俺たちが」を自分以外の人間がデモのコールとして発するのを初めて生で聞いた。しかも、コールしていたのはSASPLのメンバーの若い、僕から見れば「女の子」とつい呼んでしまう年齢の女性二人だった。たまたま僕が歩くことになったところの一番近くに配置されていたコーラーが彼女たち二人だった。二人は一台のトラメガを交互に持ち替えかわるがわるコールをリードしていた。

「言うこと聞かせる番だ　俺たちが」というフレーズは二〇一二年四月にリリースされた田我流（でんがりゅう）[27]のアルバム《B級映画のように2》に収録された〈Straight Outta 138 feet. ECD[28]〉のために書いた歌詞の一部だった。だから、この時点でもう世に出てから二年半が過ぎていた。

このフレーズはそのアルバムが出た当初、僕自身もサウンドカーでのコーラーを任さ

26 特定秘密保護法…漏えいすると国の安全保障に支障を与えると思われる情報を特定秘密に指定し、それを外部に知らせたり、知ろうとしたりする人を処罰することを許す法律。国民から反対の声が上がったが2013年12月の国会で強行採決された。

27 田我流…日本のラッパー。2004年に幼馴染みたちとヒップホップグループstillichimiyaを結成後、ソロに。

28 Straight Outta 138 feet. ECD…YouTube公式チャンネルで視聴可。
https://www.youtube.com/watch?v=X4FoXDMNZU0

れたときにはコールとして使ってみることもあった。しかし、その後コールとして定着することもないまま過ぎていた。実はこのフレーズをコールとして使うことに僕はあまり積極的ではなかった。「俺たちが」という主語を女性に押しつけることのためらいがあった。ところがＳＡＳＰＬの女性たちは何のためらう様子もなく連呼した。僕は素直にそれをうれしいと思った。自分のためらいを軽々と越える彼女たちの姿がまぶしかった。しかも、彼女たちの声は明るかった。自分たちの怒号とは明らかに違うものだった。僕はこの日のデモが終わってから感想として「今日のＳＡＳＰＬのデモ、勝利のイメージがありました」とツイートしている[29]。

「言うこと聞かせる番だ　俺たちが」のフレーズを単独で聴くと、デモのコールに使うことには軽い躊躇がある。〈あきらめない（オン・ラッシュ・リアン）〉に比べて音の数が多い。だからフレーズを作った本人も逡巡している。しかし、そうしたうしろ向きの気持ちをあっけらかんと吹き飛ばしてくれる明るさが、デモ参加者の女性の一部にあって、そのことをほかならぬＥＣＤはとても喜んでいる。ためしに田我流のアルバムに収められた当該の曲で「言うこと聞かせる番だ　俺たちが」というフレーズを聴いてみてほしい。物凄くこなれたラップに聞こえる。それは曲としてこの言葉が馴染んでいることを示している。音楽的にはそのほうがいいに違いないが、「言うこ

29 引用…島崎ろでぃー写真，ECD著『写真集ひきがね　抵抗する写真×抵抗する声』ころから，2016，p.8.

と聞かせる番だ　俺たちが」のゴツゴツとした感じが、音楽として統合されることなく、路上にばら撒かれて、明るい勝利の声を通して耳に届くのもいいな、と思う。

（「あきらめない」承前）

勝利への怒りが俺たちの血管に流れる
いま、お前はわかるだろう。なぜ闘うのかが
俺たちの理想は夢以上のもの
もう一つの世界、それしかない
あきらめない（了）

〈あきらめない〉を動画サイトで最後まで観ると、HKが歌い終わったところで動画が終わっていないことに気づく。「オン・ラッシュ・リアン」の音と口は、様々な階層の人にまるで伝染するように広がっていく（その一人が、『アデル　ブルーは熱い色』のアデルなのだ）。動画の最後、「オン・ラッシュ・リアン」は、ビア樽のように太った中年男性に行きつく。彼は「あきらめない」をフランス語で繰り返す。繰り返しているうちに、「オン・ラッシュ・リアン」のメロディは置き去りになる。つまり、彼

の感情の高ぶりに合わせて、完全に独自の「オン・ラッシュ・リアン」になっている。腕を振って、自分だけの「あきらめない」を繰り返す。その姿は、純粋な怒りそのものに見えるのだが、本当のところはわからない。わかることはただ一つ。その中年男性が巨体を揺らしながら叫ぶ「あきらめない」という言葉は、歌から切り離され、何かがゴツゴツした、コールのようなものになっているのだった。

ＨＫのこの曲を、私はいつもこの動画を見ながら聴く。見ながらでなければ聴けない。そして思うのだ。ＥＣＤはきっとこの歌を知っていただろう、と。ストリートの住人として、ＥＣＤとＨＫは同じ空気を吸っていたに違いない、と。

オレルサン「オレルさん」

前史

もしあなたがフランスに生まれ、しかも生まれたところがパリやマルセイユやリヨンのような大きな特徴のある都市ではなくて、どこにでもあるような地方都市だったら。葡萄畑が見渡すかぎり覆い尽くしているような風景もなく、平均的な年収の、中流を画に描いたような人々が多く暮らす街だったとしよう。そのうえ、あなたの家も困窮とはほど遠く、ほどほどの収入があり、かといって、富豪でもないとしたら？あなたは、きっと、インターネットにはまるはずだ。そして、日本が、日本文化が好きになる……たぶん。

本名オーレリアン・コタンタン、通称Orelsan（以下、オレルサン）は、フランス北西部の地方都市アランソンに、一九八二年に生まれている。アランソンは小さな街だ。二〇二〇年のデータだと人口は約二万人。両親とも教育者。オーレリアン自身は、白人男性。学校のことはなんだかあまりいい思い出がない、と話している。たくさん覚えていることはあるけれど、話したくない、とも。
「ええ、とてもいい生徒でした。本をたくさん読んでいた。語彙も豊富。彼のお祖父さんと同じで、かなり秘密主義で、寡黙な子でもありました。特に歌うこともなかった、お父さんがサマーキャンプに連れて行ったとき以外は[30]」。周りの反応である。
成長しても、街のなかでは行く場所もかぎられている。カフェが幾つか、そして街で一つだけのCDショップ。最初はクイーン、ユーリズミックス、フレディ・マーキュリー(これってクイーンとどう違う?)、ラップの時代になるや、IAM、NTM、ドク・ジネコ、パッシィ……。暗誦できるくらい彼らのリリックを心に刻む。

(ラップは)ずいぶんあとになってから俺が発見した音楽。『グルーヴ・マガジン』で一位だったから。だから、とても売れているラップに最初は関心があった。六か月間、様々なグループを聴き続けて、このタイプのソリッドな音楽を最終的に俺は把握したと思った。バスケットのヴィデオでは、いつもラップがかかっていたし、バスケット選手の物語を描いた映画『ギャングボール』では、サントラに使われていた。スヌープ・ドッグだった[31]。

バスケットとラップへの愛情。そして、初めてライヴに足を運ぶ。パリ近郊のスタッド・

30 引用…Alain Wodrascka, *Orelsan Le Rimbaud du rap*, L'Archipel, 2021, p.19.

31 引用…前掲書，p.21.

ド・フランスでＩＡＭを観た。曲はナンバー1ヒット〈Je danse le mia〉。夜を共有した、とオレルサン、いやそう名乗る前の、オーレリアンは確信した。同時に、今度は自分の番だ、と思った。自分の存在を問うような歌詞をその晩、彼は書き始める。

一九九八年、一家はアランソンを離れ、フランス北部の都市カーンに引っ越した。父親がカーンの中学の校長に転任したからだ。

第三学年まで、クラスではむしろ成績は上だった。だが少しずつ下降線をたどる。幾つかの科目では成績はよかったけれど、物理、生物、数学、化学がまったくダメ。英語だけが飛びぬけて成績はよかった。先生が超クールだったし、ラップとバスケで英語は勉強してたから[32]。

二〇〇二年から二〇〇三年にかけて、導かれるようにしてアメリカへ。タンパ・ベイ[33]。アメリカ人の若い女性との恋愛。彼女の妊娠。別れ。路上では地元警察ともめる。フランスに戻ると学業を継続したが、特にやることもなくなって、失業者の身分に。ただし、何もすることがない状態を何か月も続けることができない「気質」でもあった。

ある日、ホテルの夜警の仕事を見つける。完璧な仕事。半年もやればいいと思っ

33 **タンパ・ベイ**…アメリカ、フロリダ州中西部にある湾。

32 引用…前掲書，p.25.

ていたが、誰にも拘束されない気楽さから、結局、三年半も続ける。

夜のホテルでは、エロ映画で起こるような、色気のある女の子とあんなことやこんなことが起こるんじゃないかと思っていたんだが、まったくそんなことはなかった！　たいしたことは起こらなかったが、そのおかげで、書く作業はずいぶん進んだ[34]。

夜のホテルの受付で、想像界での出来事を記述する作業によって、最初のアルバムのうちの半分はできあがった。もちろんこのとき、彼がフランスのラップを代表する存在になるとは、誰も想像していなかった。何よりも、本人にそんな意識は微塵もなかった。

誕生

名前について。音楽で生きていくと決めてから、オーレリアンはオレルサンになった。Orelsan は二つの事実に由来。前半の「オレル」はオーレリアンの愛称。後半のｓａｎは、「好意を示す日本語の接尾辞」から、つまり「～さん」と呼ぶときの、あれだ。だからオレルサンは、本当は「オレルさん」でまったく構わない。オーレリアンがマ

34 引用…前掲書，p.32.

ンガ好きだったからこの接尾辞になったというのは、本当の話。

二〇〇三年に、友達と二人でミックステープを作成する。十一曲入り。まだオレルサンに特有の圧倒的な言葉の力は見られない。だがグループはラッパーを複数集めて作られるコンピレーション・アルバムに楽曲を提供していく。同時にそのころ「マイ・スペース」が登場する。YouTube以後を生きている人にはわからないと思うが、今世紀の初め、まだYouTubeができる前、ネット上に自分の歌を無料で開放するサイトとしてマイ・スペースは人気があった。オレルサンもマイ・スペースを使った。

以前、まだYouTubeがなかったころ、ヴィデオを公開する手段はなかった。マイ・スペースは、完璧な表現手段だった。写真もヴィデオもポストできたし、音楽まわりのことを語ることもできた。俺の宇宙にとって、それは都合よかった[35]。

そして二〇〇六年八月二十五日、オレルサンはYouTubeに最初のヴィデオ・クリップ〈Ramen（ラーメン）[36]〉を投稿する。不完全でキッチュなクリップ。二〇〇七年、〈Saint-Valentin（サン ヴァレンティン）〉を発表。「俺はブスどもが好きだ。彼女たちに『愛してる』と言いたくないから／俺はブロンドが好きだ、彼女たちが猿轡をかまされているとき」。

正直、この歌詞の傾向はどうなのか？ マイノリティや女性を敵視するスタンスと

35 引用…前掲書，p.41。

36 **Ramen**…YouTube公式チャンネルで視聴可。
https://www.youtube.com/watch?v=DzSB33GSagU

言われてもまったく違和感のないところに、オレルサンは最初から立っている。

この曲の一部にこんな部分もある。

（だがお前は、口を噤め）さもないと、お前はマリー・トランティニアンみたいに殺されるぜ。

ここに暗示されているのは、二〇〇三年に起こった有名なＤＶ事件で、女優のマリー・トランティニアンが恋人のロック歌手ベルトラン・カンタにＤＶによって殺害されたことを含意している。女性への暴力を煽動する言葉を含んでいた。

ただ、当時の彼を知る者たちはみな口を揃えて言う。内向的であまり話さない彼を見ていると、女性への暴力をリリックに書き込むような感じはなかった、と。おとなしく黙っていることが彼の、いつもの態度だった。

二〇〇八年二月、オレルサンは、満を持してシングル〈Changement（シャンジュモン）（変化）[37]〉を発表。レコード会社は、ＴＦ１ヴィデオを通してクリップを配信する。ヴィデオの冒頭、主人公がもっている日本製の携帯型ゲーム機ゲームボーイが、「ピコン！」という音を発して起動する。懐かしいゲーム音。おそらく二〇〇八年の段階でも、任天堂のゲームボーイは相当にノスタルジックなアイテムだったはずであり（発売は一九八九年）、その意味で、オレルサンが最新流行のエレクトロ・ラップとはまった

37 Changement …YouTube 公式チャンネルで視聴可。https://www.youtube.com/watch?v=lIlyA3DAQXo

く違っていたことは自明だったはず（オレルサンはデビュー当初、エレクトロ・ラップのグループ、TTCとよく比較された）。この歌には「永遠のテーマ」である世代間の断絶がひとまず歌われていた。リフレインは以下。

年寄りたちはわかってない、若者の頭のなかで何が起こってるか
連中はテレビやプレイステーションで大きくなったわけじゃない
俺たちがどこまでぶっ壊れているか、年寄りはわかってない
インターネットも、クラブも、ギリシャ・サンドウィッチ[38]も、DVDもわかってない
若者たちの頭のなかで何が起きているか、年寄りはわかってない
奴らはテレビやプレステでデカくなったわけじゃない
俺たちがどれだけ壊れているか、年寄りはわかっちゃない
ラップやケータイ、大麻やデスペ[39]を知らない

この歌に見られるような未来のなさ、もっと言えば「ノー・フューチャー」な感覚は、バンリューにかぎったものではない。自分たちの感じている閉塞感を叫ぶというのは、郊外の有色の若者の特権ではない。オレルサンは教師の息子で、それなりに高い教育を受け、リスペクトの価値や家族のつながりの大切さもわかっていた。だが、テレビ

38 **ギリシャ・サンドウィッチ**…Le grec となっているので、普通に考えれば「ギリシャ」。ただ『バンリュー隠語辞典』によれば、「ひよこまめとケバブを挟んだ、ギリシャのサンドウィッチ」を指すらしい。

39 **デスペ**…ビールのDesperadosの略だと思われる。その飲みやすさから、反抗期のティーンエイジャーがよく飲むとされている。

とプレステでブロックされたような未来しかなかった。すべてを晒け出そうと、オレルサンは考えた。失われていること、未来がないことを感覚として理解しているのだ、と歌うこと……。

「役」を演じるラップスタイル

二〇〇四年、オレルサンはあることを「犯して」しまう。ある曲を録音する。タイトルは〈Sale Pute(サル ピュート)〉。辞書通りに訳せば、薄汚い売春婦、の意味だ。アメリカのラッパー、エミネムに〈White Trash Party〉という曲があるが、その「white trash」に強く影響された。ホワイト・トラッシュとは、別の言い方をすればプア・ホワイト。貧しくて、やさぐれた白人層、ということ。オレルサンは、この曲に次のようなリリックを盛り込む。

俺はお前が大嫌いだ、ゆっくりと死んでしまえばいい
お前が妊娠した挙句に倒れて、子どもを失えばいいと願っている

……女性に対する呪詛というよりも、元カノが焼かれたり、もっとひどい目に遭う

ことを心底から願っている、という内容の歌。

数年後、〈Sale Pute〉はネットに流れ、大問題となる。女性政治家たちの猛反発を買い、オレルサンの参加予定のライヴには公的な助成金を出さないと主張する女性の政治家も複数現れた。暴力を煽動する部分がある、というのだ。フランスでは三日に一人の女性が配偶者の暴力によって命を落としている、と彼女は語った。そのＤＶをオレルサンは認めてしまっている、と批判した。〈Sale Pute〉と〈Saint Valentin〉の二曲はセットリストからはずされた……。

「オレルサン事件」とも呼ばれる喧騒について、彼はどう考えていたのか。「ヴィデオ・クリップを作ったとき、それが一つのパロディだとわかると思っていた。思ったことをなんでも口にする酔っぱらいを馬鹿にする感じ。皮肉も込めた。監視の雌犬たちは、あのヴィデオを決して見ていないと思う」と語っている。オレルサンの評伝を書いたアラン・ヲドラシュカは、たとえば舞台や映画のなかで、女性への暴力を助長するようなキャラクターが登場しても、そのことで演出家や監督がそのまま批判されるようなことはない。にもかかわらず、歌手がそうしたキャラを作って歌えば、その歌手がダイレクトに彼の思想を述べたものとして批判されるのは、やはりおかしいのではないか、と述べている……。

どう判断すべきか、私にはいまわからない。ただ、オレルサンの書いたリリックに女性への暴力を煽るような部分があることは事実であり、とりわけ #MeToo 運動以後に生きている私たちにとっては、〈Sale Pute〉の歌詞がそのまま電波に乗ったり、ライヴで聴かされたりすることは不可能である、とだけ書き添えておく。

こうした流れのなか、オレルサンはファースト・アルバムをリリースする。《Perdu d'avance（ペルドゥダヴァンス）（以下、あらかじめ失われたもの）*1》(2009)。高い評価を得る。ここではカルチャー誌「レザンロキュプティブル」のレビュー記事を。

Orelsan《Perdu d'avance》2009 年

> 俺が語っていることは、九十%が真実だ、とオレルサンは私たちに語る。（中略）オレルサンは、彼の頭とマイクの間にいっさいフィルターを挟まない決意をしている。リリックはまさにナマで、遊んでおらず、陰鬱なときは陰鬱で、しばしば私たちがそうなるように、限界はそのまま歌われている。自分が弱いと認め、堂々と平手打ちを食らうのだ。オレルサンは、今年二〇〇九年にあらゆるカテゴリーが

*1「やる前から負けが決まっている」という意味もある。

交錯するなか突然出現した新人であると同時に、古臭くてダサいゲットーの建設をはるかに超えて、フランスのヒップホップの脱皮を印象づける存在でもある。

絶賛に近い。同じことは、間を置かずにリリースされたセカンド・アルバムでも起こる。《Le chant des sirènes（以下、人魚たちの歌）》は二〇一一年に私たちの前に現れる。オレルサンの名声を揺るぎないものとした、この二枚のアルバムをフランスのラップのみならず、おそらく世界中のラップ好きは忘れないだろう。最初期の、この二枚についてオレルサン自身が語った言葉がある。

俺の最初のアルバムは、とてもパーソナルなものだった。十五歳から二十五歳までの俺の人生を語っている。ひと通り、主題を一巡したと感じた。素人なりのあれやこれやを経由して、もっとプロフェッショナルな何かに移動しようとして、俺は毎日、白い頁に向かい合った。そのインターバルの間に、多くのことが変わってしまった。最初は、インターネットに作品をアップした。みんなはそれを凄いと認めてくれたけれど、別の意見をもってる人たちにいきなりぶつかった。そのこともきっかけで、俺は本当にそんなことをしたんだろうか、と自問することになった。そして、俺がうまくやり遂げられたのは、たった一つのことなんだ、とあらためて認識した。ほかの才能もないし。俺はそれを過剰なくらい愛していた。だから、作品を引き受けることを決意した。さいわい、すでにアルバムを発表する計画が決まっていて、それが「きびしい」ものだということもわかっていたけれど、俺は引き受けることにした。『OK、お前は一巡した。そして成功に満足をして努力をちょっとばかり怠った。お前は、あっちこっちで二、三曲作ってみた。凡庸な歌を二、三曲書いてみた。そろそろ戻るタイミングだ……』、もう一人の自分に言い聞かせる。《あらかじめ失われたもの》のようなアルバムを作ったとき、うまくいっているときは、曲もバンバンできるから、自分が全体にぼんやりした状態にいることがわかる。曲を書くように求められればそうした。(中略)問題は、一人きりで曲を作るたびに、結果に満足できないこと。最初のアルバムについて言えば、ある観点ができあがると十四曲ができた。全部とっておいた。最低でも三十曲作って、ある種のバランスをとる必要があった。過度に自己中心主義的なかたちで自分を語ること。(中略)ほとんど外出をやめた。一年近くの間、ほぼ家に籠っていた。たまに田舎に出かけるだけ、孤立し、本を読んだ……。本当の作家の仕事![40]

ラップの世界で「エゴ・トリップ」と呼ばれる、自分の半生を回顧的に語る部分がファーストには顕著であり、それをそのまま延長しようとしたけれど(見ようによっては、そこに「回帰」しようとしたけれど)、うまくいかない。二枚目のアルバムはだから、

40 引用…前掲書，p.88.

自我をめぐる議論は措いて、自分の思考と闘うことになった。ほぼ一年、動かず、オレルサンは曲を書いた。コロナ禍の時代のほうがオレルサンには向いていたのかもしれない。そして《人魚たちの歌》は完成するのだが、全十六曲のなかで、もっとも印象的なものを選ぶならば（人によって意見は分かれるだろう）、私は、〈Suicide Social（社会的自殺）[41]〉を選びたい。この曲を聴いたときの衝撃をいまでも生々しく覚えているからだ。六分近い楽曲の間じゅう、叩きつけるように続くリリックの嵐を、全部訳出することは困難なのだが、それでもできるだけ、省略しない形で。

Suicide Social（社会的な自殺）

今日が俺の生存の最後の日だ
俺が目を閉じる最後の一回、俺の最後の沈黙
俺は長い間、この公害の解決を模索した
当たり前のことのように見える
コピーであることをやめ、
単調であることもやめ、ロボトミーもやめる
今日、俺はシャツは着ないし、ネクタイもしないだろう

41 **Suicide social**…YouTube公式チャンネルで視聴可。https://www.youtube.com/watch?v=B2kvtRprvkk

仕事には行かないし、犬みたいにお手もしないだろう
さようなら、事務所のサラリーマンたち、生真面目な彼らの人生
もし君が自分の人生に失敗しても、
そのことがほかの奴の人生を立て直してくれる
そのことが、奴らの狭苦しい脳細胞のなかに
ちょっとした席を確保してくれる
凡庸さのなかで、奴らを励ましてくれるだろう
さようなら、おデブちゃんの代表選手たち
まるで濡れたくないみたいに、決して水を飲まない
アフターシエイブローションやカスーレ[42]の匂いのする営業マンたち
アタッシュケースにはマヨネーズをしのばせて、大量摂取
さようなら、さようなら、齢をとったヨボヨボの会計係
さようなら、虚弱な秘書さんたち、いつ果てるとない不毛な会話
さようなら、最近卒業したばかりのヤング・エグゼクティヴ
死体ばっかり積みあがって、頂上まで届きそうだ
さようなら、偉大なる「代表取締役社長」(PDG)
窓から身を投げたときは、金色のパラシュートを急いで開こう

42 カスーレ…フランス南西部の料理で、おもに白インゲンのシチューを指す。

奴らは絶望的な給料しか払わず、大儲けしてる
そして、身を隠しては、怯えきった処女のフリをしている
こいつらみんな誰かの息子、スノッブな売女の息子
地上の富の四分の三をみんなで独占する
さようなら、中小企業の社長、ブルジョワ化したバカな男よ
夏のヴァカンスの支払いのため、労働時間削減（RTT）
さよなら、労働者たち、時代遅れの産物よ
これが市場原理だ、お前はクビになって当たり前だ
クビになったって、見た目が恐ろしいあんたの娘を
ブクブク太らせることに変わりはない
彼女は消防隊員とヤって、最後は美容師になるだろう
さようなら、田舎よ、薄汚い家族たちよ
豚みたいな奴ら、口蹄疫でひっかかるほど
この老女たちみんな、ののしり合いが大好きな、おしゃべり女ども
ケチなババア、ろうそくは最後まで使い切る吝嗇家たち
さようなら、このフランスの奥地
ひどいバカで、貪欲で、無駄で、腐敗してる

もう終わり、あんたたちは一世紀遅れてる
もう誰も、近親相姦のあんたたちの集団を必要としてない
さようなら、首都に生息する、うぬぼればかりの人々
連中は人に話しかけるたびに、
自分のほうが価値ある存在だと証明しようとする
広告や財界やテレビや音楽やモードのギョーカイのなかにいる
このバカ者たちは全員パリ出身で
このパリ野郎たちは絶対に満足せずに、悪口ばっかり
教養のあるふりをして、知性の欠片もない
よい趣味を独占していると考えるレプリカント
田舎を軽蔑したような目線で眺める

ここまで訳してみたが、これでだいたい三分の一くらい。まだまだオレルサンの呪詛は続く。様子は徐々にわかってくる。あと少しで、今日でこの世を去ろうとしている人間が、自分が触れてきた様々な事象の悪態を吐いて自殺しようとしているのだ。ここまで省略しないで訳してきたが、(やはり)印象的な箇所に絞ってみよう。

さようなら、新しいファシストたちよ／ファッショな理想によって自分たちのクソみたいな人生を正当化し／ネオナチになっちまってる、お前には情熱がなかったから／SS（ナチの親衛隊）の遊びをする代わりに、仕事を見つけろ／さようなら、バンリューのピラニアたち／奴らは自分たちの憎しみの涯よりもっと遠くまで見えてるわけじゃない／奴らの間で激しく口論するほどに／十二人もいればめちゃくちゃアグレッシヴになるくせに／ひとりっきりだと、指相撲で小指一本持ち上げられない

……まだまだ続く。終わりあたりまでジャンプ。

さようなら、政治が好きな偽芸術家よ／さようなら、不法滞在者よ、無職者よ、クズの山よ／俺は奴らを憎む！ スタジアムにいるスポーツマン、フーリガン／都会人、家畜小屋のどん百姓ども／アウトサイダー、尊敬すべき人々／失業者ども、安定した仕事の人、天才、まあまあ並の人／一番やばい無頼の者から、勲章受勲者まで／最初の女から最後のトランス*J まで！

（ここで、バーン！と拳銃の音）

できれば曲を聴きながらクリップも観て欲しい。一度もオレルサン自身は映らない。

*J trav'（travelot）という言葉が使われているが、必ずしもトランスジェンダーとはいえない。オレルサンがどういう意味で使ったかはわからない。

ひたすら早口でまくしたてているだけだ。フランス語のリリックが、歌詞に登場する人物や団体のイラストと一緒に現われては消えていく。マヨネーズ、映画『憎しみ』、ロボトミー。イラストは容赦なく、社会の歪みを表象する。いったい、この曲は何なのか？　オレルサンは何を私たちに投げているのか。

クリシェだ、とオレルサンは言う。クリシェとは紋切型のことだ。紋切型ばかりを並べたてているに過ぎない、と。

四分以上続く曲を作りたかった。集団として、社会的クラスとして、階級として人々について語ることは、俺にとっては馬鹿げたことだった。この歌は、やってはいけないことの具体例として取り上げるべきもの。滑稽だよ。この曲へのコメントにはこんなのもあった。「あれとかこれとかについて語っているときを除いて、彼（オレルサン）はすべて理解している」。でもこのコメントこそがクリシェだ……。[43]

人を個人としてではなく、束として語ることがいかに無意味か、オレルサンは語っている。共同体主義（コミュノタリスム）が隙間なく社会を埋め尽くしている。その巣穴に対して、たとえばケニー・アルカナであれば、そんなところに潜ってないで、表に出てきなよ、と歌い、人類に訴えかけただろう。オレルサンが独自なのは、一人

43 引用…前掲書，p.95.

の自殺する人間を造型すること。ラッパーはラッパー自身の声で歌うけれど、だからといって、それは彼自身の意見である必要はない。彼はその曲のなかで、「自殺を考えている人間」の役を演じている。自殺を考えている人間にとって、社会を構築している共同体のそれぞれがいかに無益で、無意味なものであるか、を歌っている。だから歌に出てくる小集団は、できるだけ典型的なものでなければならない。誰もがその小集団の性質をどこかで嫌っているけれど、そこに属するのでなければ生きていくこともできない。そんな集団を排撃するために、あえてその集団をぼろクソに言う個人を造型しているのである。

それにしてもオレルサンの演技性の高さ!

実際オレルサンはこの十年、ラッパーとしてより役者として活動してきた感覚がある。最初は、『Comment c'est loin(コマン セ ロワン)』(2015)。日本語で訳題をつければ「なんて遠いんだ」くらいか。オレルサン自身が故郷カーンに暮らす若者の役で出演している。ラップする若者たちの鬱屈を描く自伝的映画。この映画を皮切りに数本の映画に出演しているのだが、日本で観ることがほぼ叶わないのが実情である。唯一、NetFlixで配信されている映画は『Girls with Balls(邦題はスパイク・ガールズ)』[44]。ファルコンズという女子バレーボール・チームの話。そもそもバレーボール自体、フランスではメジャーではないのになぁと訝しく思いながら映画を観ると、彼女たちを乗せたマイクロバス

44 Girls with Balls…オリヴィエ・アフォンソ監督のフランス・ベルギー映画。2018年公開。

が途中で不思議な世界に迷い込む。そこはゾンビの棲む世界で、彼女たちはバレーボールをスパイクすることでゾンビと闘う、というあまり何度も観たい気分にならない映画で、オレルサンは何をしているのかというと、映画冒頭で、カウボーイの格好をして出てきて、ほぼ弾けないギターをつまびきながら「これから話すのはバレーボール・チームの物語／テニスみたいだけれど素手でボールを打つ／チームの選手はみんな割とイケてる／エンディングまでに死んじゃうけど／ああ　ファルコンズ　ファルコンズ／最後までよく聞いてくれ」、と身も蓋もなく歌う。ラップじゃなく……。そろそろ、ラップの演技者の本格復帰を望みたいところだ。

追記

右のように批判的なことを書いたら、二〇二一年、新しいアルバム《Civilisation（シヴィリザシオン）（文明）》をひっさげて、オレルサンは帰ってきた。まさに成熟という表現がぴったりの曲が多い。なかでも〈Jour meilleur（ジュール メイユール）（よりよい日）[45]〉は素晴らしい。この曲から新しい一日は始まる……。

45 Jour meilleur…YouTube 公式チャンネルで視聴可。https://www.youtube.com/watch?v=ZT6IYZor9e8

ロセ「一人」であり「複数」

誰の目にもわかるように、格別政治的なわけではない。かといって、世の中がこのままでいいとも思っていない。攻撃的な歌詞が魅力的、というわけではないし、声に特徴がある、というわけでもない。だが、彼の、その音楽はとても忘れがたい。

そう、とても平凡な言い回しだが、彼、Rocé（以下、ロセ）の音楽は音楽として豊かなのだ。古典的、という言い方もできるかもしれない。ラップの最新流行とは無縁に、ロセが二〇〇六年に出したアルバム《Identité（イダンティテ） en（アン） crescendo（クレッシェンド）（以下、クレッシェンドするアイデンティティ）》(2006) は、ラップから遠く離れることで、何度も聴き返すことのできるラップのアルバムになったのだ。

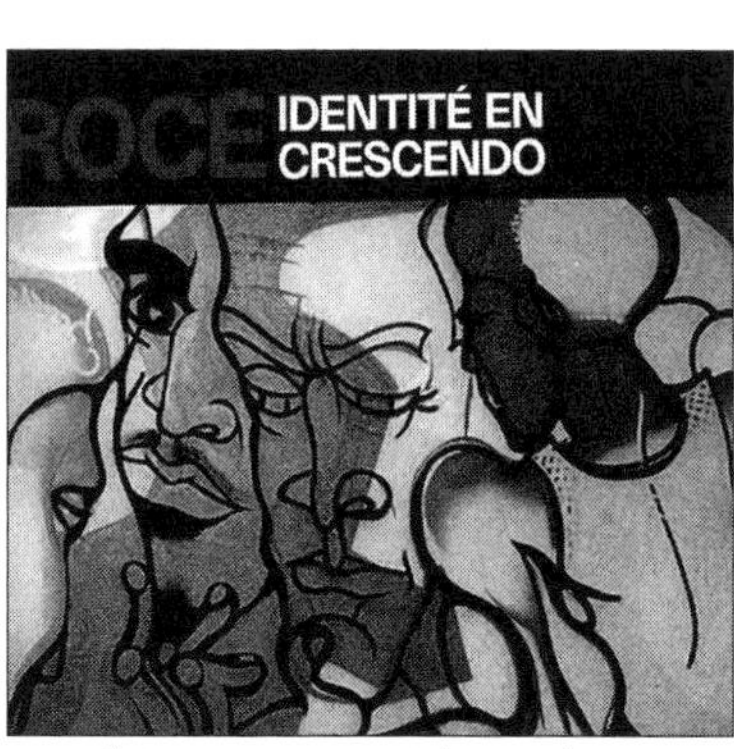

Rocé《Identité en crescendo》2006年

ひとまず、生い立ちから。ロセは、一九七七年、アルジェ生まれ。父親は、ロシア系ユダヤ人にしてアンチ植民地主義者、レジスタンスの闘士だったアドルフォ・カミンスキ。ロセは四歳のとき、アルジェからフランスへ。ヴァル・ド・マルヌ県で育つ。九〇年代、例の、Mafia K'1 Fry のマニュ・ケイに誘われ、ラップの道へ入った。DJメディとも共同作業をしている。

二〇〇一年にファースト・アルバム《Top Départ（トップ・スタート）》をリリース。反響を呼ぶ。そして、五年後の二〇〇六年に、二枚目のアルバム《クレッシェンドするアイデンティティ》にたどりつく。名盤だ。例外的だが、数曲、特徴を挙げて中身に言及してみよう。

まず、リリックについて。一曲目、〈Je chante la France（俺はフランスを歌う）〉[46]というタイトルで、途中、実の父親に言及したところがある。

父親は、ヴィシー[47]やコラボ[48]と闘った
身分証明書偽造のエキスパートで、裏切りの犠牲者たちを救った
祖国が理性を失うときは行動し、抵抗する
大統領とは意見が違ったが、父親は人間性を示した

---

46 Je chante la France…YouTube 公式チャンネルで視聴可。https://www.youtube.com/watch?v=46JVC9so42I

47 ヴィシー…ナチス・ドイツに協力したフランスの政権。

48 コラボ…第二次世界大戦中にナチス・ドイツに占領されたフランスの対独協力者。

自分の家族を語ること自体、伝統的なラップの手法だが、サビはこうだ。

秘密と検閲が長い沈黙を作る
叫び声を覆ってかき消すのは沈黙
そしてセリフもかき消す
国は俺たちに言う
歌え、歌え、歌え、歌え、フランスと。

次に参加ミュージシャンについて。〈Seul(スール)(一人きり)〉と、アルバムで掉尾を飾る曲〈identité en crescendo(クレッシェンドするアイデンティティ)〉にはフリー・ジャズ界の巨人、サックス奏者アーチー・シェップが、〈Ma saleté d'Espérance(マ サルーテ デスペランス)(わが希望の汚れ)〉ではピアニストのチリー・ゴンザレスが、〈L'un et le multiple(ラン エ ル ミュルティプル)(以下、一人と複数)〉ではトランペット奏者のジャック・クルシルが、そして、〈Aux nomades de l'intérieur(オー ノマード ド ランテリウー)(内部のノマドたちへ)〉ではベーシストのアントワーヌ・パガノッティが参加している。

これほど多様なジャンルにわたるミュージシャンをつなぎとめているのは、ロセのラップ。逆に言えば、こうしたミュージシャンが「バンド」になるためには、それを束ねる何かが必要であり、ロセの古典的なラップがあったからこそ、アルバムは成立した、とも言えよう。このなかから、〈一人と複数[49]〉を。

変化のある世界に属しているという奇妙な感覚
だがその世界では多様性は拒否されている
俺たちは、あまりに狭いアイデンティティに
閉じこもってしまっている典型（クリシェ）だ
だが、俺は指示された世界にはもう籠っていられない
単純化した定義では、俺を捉えることなんてできない
俺は、どうやっても、一人であり、複数なんだ

ロセは淡々とラップする。執拗に歌う。そこにジャック・クルシルのトランペットが絡む。フランス語に音が絡みつく、という以外に彼のトランペットの音を表現する方法はない。それにしてもロセのリリック、「俺はどうやっても一人であり、複数である」とはいったい、どういうことなのか。ジャック・クルシルのトランペットはまるで導きの糸のようにして、私たちの読解を、とある方向へと連れていく。

俺は一人であり、同時に複数的存在だ。個人として生きていて、同時に複数の活動

49 L'un et le multiple…YouTube公式チャンネルで視聴可。https://www.youtube.com/watch?v=0ZwAnAyX0bU&t=30s

を、生活を営む存在――そんな字義どおりの読みはむろんある。だが、このとき、ジャック・クルシルの、あえて言うが「孤高の」トランペットが絡むリリックを聴いたとき、遠くのほうから一人の詩人が歩いてくるのが、私にははっきりとわかった。エドゥアール・グリッサン[50]。カリブ海の島マルティニックの詩人であり思想家であったグリッサンの「一」と「多」をめぐる思想については容易には要約しがたいが、ひとまずこんな感じか。

西洋にかぎらず、世界じゅうの書き手は「一」を追い求めてきた。もちろんこの「一」は神である。神的なものに焦がれた文学者だけではなく、西洋世界の押しつける価値観は、この「一」に支配されている。西洋が追い求める理想としての「一」。だが、グリッサンはそうした「一」の思想へ、ずっと、間断なく執拗に抵抗し続けた。それが詩になり、小説になり、そして思想へと結実したのだ。カリブ海文学の研究者・中村隆之は書いている。

言うまでもなくグリッサンは〈一〉を称揚する詩人ではない。むしろ『国家に抗する社会』(一九七四)を著したピエール・クラストルのように、〈一〉の原理によって築かれたこの世界に対抗することをグリッサンは望んでいた。そのとき、〈西洋〉に対してまた別の〈一〉の原理を打ち立てて対抗する視点に甘んじることなく、〈一〉が〈多〉〈多様

50 エドゥアール・グリッサン…20-21世紀のマルティニック出身の作家。2011年没。

なもの）に複数化してゆく新しい世界のヴィジョン（あるいは複数化した〈多〉が更新する〈一〉）を語り続けることこそ、エドゥアール・グリッサンが倦むことなく行ってきたことだった。

そして、そのためには何よりもまず、植民地支配を通して一体化したかのようなこの世界に亀裂を入れる「叫び」を聞きとる必要があった。そう、抑圧された者たちがあげる「叫び」である[51]。

私は、「一」と「多」をめぐる思想家としてのグリッサンを、クルシルを介して強引にロセに引きつけているのだろうか。強引すぎることは認めよう。だが、単に強引なだけではない。そもそもジャック・クルシル自身、グリッサンに深く共鳴したミュージシャンだった。彼が二〇〇七年にリリースしたアルバム《Clameurs（喧噪）》には〈Edouard Glissant, L'archipel des Grands Chaos, La traite（グレートカオス群島、奴隷貿易）〉というタイトルの曲も含まれている。彼らの仕事を切断するのではなく、自由に結びつけることこそが、グリッサンを読み、クルシルを聴き、ロセのラップに圧倒される私たちがやるべきことなのだ。

二〇二〇年六月、ジャック・クルシルは惜しまれながらこの世を去った。ラジオ局「フランス・ミュージック」は「ジャック・クルシルに捧ぐ」という番組を、こんなふう

51 引用…中村隆之『エドゥアール・グリッサン』岩波書店，2016，p.44.

に切り出した。「この数年来滞在していたエックス・ラ・シャベルで昨晩、彼は死去した。ジャック・クルシル。大学人にして研究者、ネグリチュードの素晴らしい思想家、レオポール・セダール・サンゴール[52]とエメ・セゼール[53]の好敵手であった彼はまた、最高のジャズ・トランペッターでもあった[54]」。「一人」でありながら「複数」でもある、文字どおりの多数性を生きたミュージシャンだった。

そしてこのとき、私たちが聴き取るべき、もう一つの主題も浮かび上がる。

それは、植民地主義に抑圧された人々の「叫び」である。

52 レオポール・セダール・サンゴール…セネガルの詩人・政治家。1960 ～ 80 年までセネガル共和国の初代大統領を務めた。

53 エメ・セゼール…マルティニック出身の詩人、思想家、政治家。ネグリチュード運動の担い手。

54 引用…*Hommage à Jacques Coursil*, publié le vendredi 26 juin 2020 à 15h01.

カゼー　猛獣の棲むバンリュー

植民地主義に蹂躙された者たちの「叫び」は、フランスのラップから聞き取れるのだろうか。それはどんな「叫び」なのか。そもそも「叫び」を聴くことができる耳を、私はもっているのだろうか。

フランスのラップのなかに、たとえば植民地主義を告発する言葉は散見される。第一次世界大戦[55]の最前線でフランス軍として戦った「俺たち」の、ブラック・アフリカンの祖父は、フランスのために戦ったのになんの保証もなかった、あれは奴隷だったのか、など、歴史認識を問うリリックは決して少なくない。その意味では植民地主義を撃つ言葉は、フランスのラップに珍しくはない。一方で、それらは「叫び」になっているのか。問題はやり方ではないか。「叫び」を叫ぶ、その声はどうなっている?

Casey（以下、カゼー）を聴いたのは、そんな折だった。そもそもカゼーと読むのかどうか。Caseyは英語ふうに発音すれば、ケイシーで、こっちのほうがたぶん耳に馴染むだろう。本書ではここまでもフランス語の音にこだわってきたので、ここも「カゼー」で通すことにしよう。女性。黒人。だが最初に聴いたとき、暗く、風通しの悪

55 **第一次世界大戦**…1914年に起きたサラエボ事件をきっかけに、同年から1918年にかけて繰り広げられた史上初の世界大戦。ヨーロッパ各国は、アフリカの植民地から大量の黒人を兵士として動員した。

い場所に迷い込んだかのような印象があった。CDのジャケット写真がショッキングだ。彼女の顔のアップがあり、左手が彼女の顔の右側を少しだけ覆っているのだが、右頬にも左手の甲の部分にも、絵が描かれている。

しかし、それは絵なのか。タトゥーではない。皮膚に幾つか線が引かれ、それが小さく隆起してつながっているのだ。異様な緊張がジャケット写真に走っている。このアルバム、《Tragédie d'une trajectoire》(2006) は、そんな暗がりにずっと佇むような作品だ。なんと訳せばいいのか。ちょっとだけ韻を踏んで「軌跡の悲劇」と訳しておく。リリースされたのが二〇〇六年というのも、むろん偶然ではない。二〇〇五年秋の「暴動」を受けて、カゼーは動く。まず音源を出して、彼女の立ち位置を鮮明にする。「暴動」事件に直接反応するリリックは、《Ennemi de l'ordre(秩序の敵)》(2006)というアルバム(EP)の曲に見事に表れている。

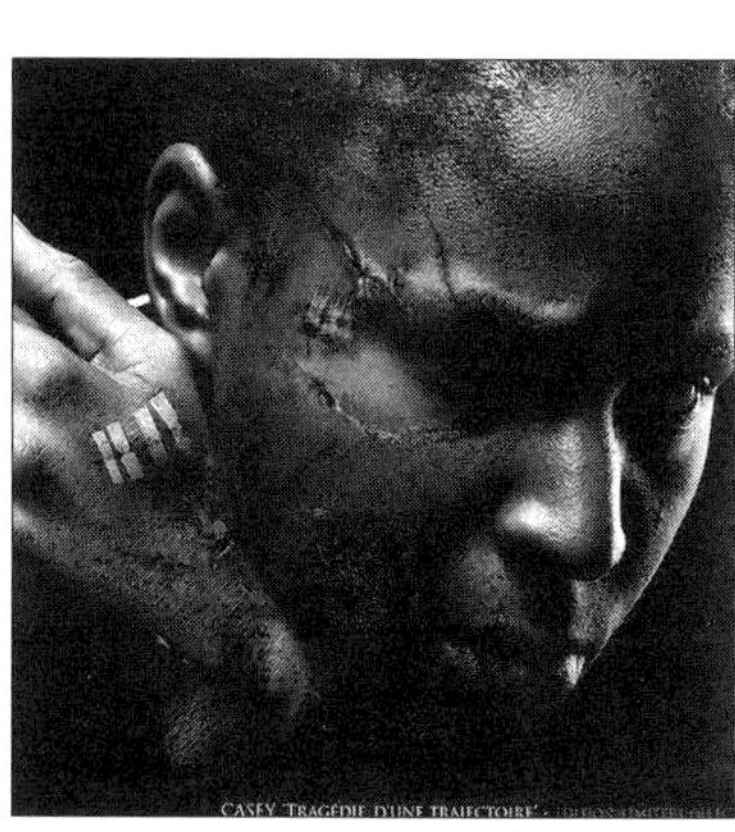

Casey《Tragédie d'une trajectoire》2006年

L'Exclu（排除された者）

あたしは、自分について、徒刑場について、マドラスについて、腰巻について語る
血を流すあたしの人種について、支配している彼らの法について語る
涙について、不平について、敵愾心について、酒飲みについて語る
恥ずかしげもなく自分たちの武器を振り回している警察について
犯罪について、臨時雇いについて、落ち込みについて語る
もう何に対しても韻を踏まない、自殺する彼ら／彼女らについて
デロザ、エスペラル、トランゼン、アシミル、アティミル、ラロクィル、毒を煽った者たち
ちについて語る……

歌はこの調子でずっと続く。そして最後、

あたしはいつも怒っている、怒り狂っている、腹を立てている
あたしは韻を踏むエキスパートで、頭の中はラジカル
あたしは自己表現し、がなり立て、叫びをあげる排除された者だ

と結ばれる。

ここに叫びがあるのだ、と思った。社会から排除された者として、カゼーは声を上げている。「あたし」と「彼ら」の間にははっきりとした対立があり、フランスに先に住んでいた人々と、あとからやってきた「褐色の」自分たちの間には、個々の現実を越えた、圧倒的な区別があって、冒頭に歌われている「マドラス」とか「腰巻」は、褐色の人種に帰属するものとして提示されている。自分は排除された者である。そのかぎりで、「あたしの歌」を歌うのが、ほかならぬカゼーというラッパーなのだ、と。

批評家のベッティナ・ジオは、その著書『Pas là pour plaire!（喜ばせるために、そこにいるんじゃない）』（Le mot et le reste, 2020）のなかで、じつに多くの女性ラッパーを論じているのだが、特権的に三人の女性ラッパーに多くの頁を割いている。本書でも言及したディアムス、ケニー・アルカナ、そしてカゼーだ。ベッティナ・ジオはカゼーについて、こう語っている。

カゼーのラップを聴くと、人は暗く不安定な気分を受け入れざるを得ない。そこには、一つの声が聞こえていて、フランスで黒人であるとはどういうことか、証言している。この内的な歩みは、レイシズムを集合的経験として理解させるのだ。レイシズムは、植民地の歴史に、黒人民衆のディアスポラ[56]のなかに書き込まれているのだ、とその声は

56 **ディアスポラ**…元の国家や民族の居住地を離れて暮らす集団を指す思想用語。本来はイスラエル、パレスチナの外で暮らすユダヤ人集団のことを指すが、他の国民や民族にも使われる。

語っている。そしてこの女性ラッパーの活動をよりショッキングなものにしているのは、彼女が単にレイシズムを暴いているからではなくて、それを詩にしていて、さらに演出しているからでもある。彼女の最初のスタジオ録音盤《軌跡の悲劇》の最後に置かれた曲〈Quand les banlieusards sortent（バンリューの人々が外に出るとき）〉のなかで、彼女はこう歌う。「私は黒人女、フランスで生まれた、いま、弱い立場に抑えつけられている」。絶えず自分を、非白人として表現し続けている。フランスのラップなのではなく、「移民の娘のラップ」として曲を作るという考えであり、この考えは、聴く者に衝撃を与える。こうしたスタンスの彼女は、リスナーをふらふらと散歩へと誘う。その行為自体、社会学的であり歴史的でもあり、とても内密なものでもあるのだ[57]。

ファースト・アルバム《軌跡の悲劇》から〈Banlieue Nord（以下、北のバンリュー）〉という曲を検討してみよう。カゼーはバンリューの街区を克明に描きながらリリックを紡ぐことで、リスナーを散歩に誘っている。

> あなたにこの場所を飾り立ててみせようとは思わない／絵を暗い色調にしたり、涙を注ごうとも思わない／でも、本当に、北のバンリューを描くことが必要なら／そのときは、はっきり言ったほうがいいだろう、怖いとこだよ／楽しむことなんかできない、壁が重す

57 引用…Bettina Ghio, *Pas là pour plaire! Portraits de rappeuses*, Le mot et le reste, 2020, p.209.

ぎるから／私たちの（住んでいるＨＬＭマンションの）タワーを自分たちの身体で支えないといけないんだ／恨みや薄汚れた性格は、強欲な連中を拒むための／強烈な反射だし、基準でもある／何を言うの？　そうじゃなかったら、ボス犬たちが自分の決まり事を作るだけ／労働者が眠りにつくころ／今日は微罪、明日は職安／シワ一つない服を着てる／すべては可能、すべてはなし得る／目に見えない場所、ユニークな場所／弱い者たち、若い者たちに席はない／ただ大きな口だけが、ここでは耳を貸してもらえる／何を怖れるべき？／二年で、塗り替えられるだろう／五年で、もう一度、火がいつともるかわかるだろう／兄弟よ、周りをよく見て、あたしにパスワードかカギをくれ／このでっち上げの舞台装置から退場するためのカギを／いつも、奴らのバカなプロパガンダの一番前にいる／排除され、包囲された者たちの／仲間や一味の揉めごとについて。

あるいは、「あたしの北のバンリューは名誉なんてありはしない／でもエリートたちやブルジョワども、企業家たちのために駆逐すべき地域でもない」とも。

ベッディナ・ジオの解説によれば、カゼーはここで、黒人を従来のラップとは別の仕方で定義している。ケリー・ジェイムスやユースーファ、あるいはアブダル・マリクが使っている「バンリューの住民たち」という意味の banlieusard(s) という語ではなく、「バンリューに住む黒人」という含意の「バンリュー・ノワール」banlieue noireという語を創出する。「バンリューに住む人」という語を一歩だけ踏み越えて、「バンリューに住む黒人」という表現は、人種についてすでに織り込み済みであることを明言している。この語の性格は、たとえば二〇一〇年に発表されたアルバム《Libérez la bête(リベレラベット)(以下、獣を解き放て)》の冒頭の曲〈premier rugissement(プルミエルジスモン)(最初の咆哮)〉に色濃く滲んでいるのだ。

それは、記念碑的なカオスのなかにすべて沈んでしまうこと、激しく動くシーソー
でも、いったいパステルカラーはどこにある?
コンクリートと金属の痛ましいカクテルのなかで
精神病のような、死んでしまうくらいの退屈がお前を打ち据えて、思い起こさせる
地上で夢を見ることとは、無駄で子ども騙しだ、ということを……

こうして始まる歌は、徐々にその土地に住んでいる(というか、囲い込まれている)存在を動物化する。バンリューに住む人々を動物として扱うことになる。そして——。

あたしの種族は追い詰められる。まるでゾウのように。
驚かないで欲しい、あたしはたくさん学んだ

私の属する「種族」が動物（ここでは厚い皮膚をもつ動物）に譬えられていることは注目したい。そういえば、この曲の冒頭からずっと聞こえているのは動物たちの咆哮なのだ。耳を澄まそう。曲の初めから、じつは動物の声は聞こえていなかったか、どうか。

電車の扉が閉まる音がかすかにする。ベッティナ・ジオは前掲書で、この「音」をRER（首都圏高速鉄道）の高速鉄道のドアが閉まる音、と特定している。バンリューと都市中心部をつなぐ電車だ。低く短い獰猛な声。高く長く続く吠え声。サンプリングされた動物たちの声が曲の間じゅう間断なく続く。「マイケル・ジャクソンの〈Thriller（スリラー）〉の冒頭で、蛙や昆虫の歌声にまぎれて、車の音が聞こえてくるのに似ている[58]」。

アナロジーの力だ。どこにもマイケル・ジャクソンの影はない。だが、マイケル・ジャクソンが〈スリラー〉という曲のクリップのなかで成し遂げたことが、ここでは背景にある。マイケルは若い黒人男性として自ら動画に出演し、モンスターの部分とゾンビの部分を同一の身体で引き受けていた。カゼーはどうか。都会の獣として扱われる生物の咆哮を表現するために、マイケル・ジャクソンという「キング・オブ・ポップ」の世界を借りている。その宇宙に政治色を持ち込んでいる。こうしてゾンビと

58 引用…前掲書，p.214.

動物とが絵を重ねるように、二重化されている。ベッディナ・ジオはそう聴いている。マイケル・ジャクソンへの類推はやや突飛な印象だが、これくらいの飛躍がなければ面白くないだろう。

カゼーが郊外の黒人として創出した〈北のバンリュー〉は、この後の曲でも動物として表象されている。〈Purger ma peine（ピュルジェ マ ペイヌ）（私の痛みを下剤で流す）〉(2009) という曲では、バンリューが刑務所のような場として描かれる。バンリューの住民たちはパラサイト。都市に寄生して生きている。そんな郊外が炎上するたびに、テレビの中継車がやってきて、観ている人に恐怖の感情を植えつける。

あたしは、そんなパラサイトの一人
番組で人が話してるようなパラサイト
道徳とか安全とかは二の次

と自己定義し、「あたしの涙と痛みは誰の印象にも残らない／あたしはすべての放送の電波で、ハイエナみたいに扱われている」。バンリューを動物の棲み処として扱うことの背景には、むろんレイシズムがある。この曲のクリップには、人間動物園で獣として陳列された人々の姿が挟み込まれる。奴隷の姿も挟み込まれる。レイシズムが時代によってその飾りを変えていることを示している。

あたしの精神状態をお前たちは笑う
人間として生きるのをやめるよう、命令を下す
あたしは粗悪な人間呼ばわりされている
アスファルトの上で殴られるのはまだマシ

カゼーは、郊外に住む黒人を、様々な表象の言葉で記述する。モンスター、ヴァンパイア、ゾンビ。あるいは象やハイエナ。差別は動物性やゾンビ性へと結びつけられることで、価値の転換を図るのだ。ここで初めて、カゼーの意図が少しずつ見えてくる。猛獣となること。ゾンビになること。社会のなかに定位置をもたない呪われた存在となること。夜が更ければ拘束を抜け出し、徒党を組み、規範に叛くこと。爪を研いで、支配者たちが安心して眠れないように、牙を剥くこと。ゾンビのイメージを脱して、徐々に、蜂起する民衆の像へと近づく。こうして、カゼーは蜂起の扇動者となる。

しかし、ブルジョワジーからなるフランス社会を「敵」として措定して、民衆よ、蜂起せよと呼びかけるだけならば、薄っぺらなアジテーターの言説に過ぎない。たしかに《獣を解き放て》の幾つかの曲は、そうした扇動者の側面をもっている。しかし

それだけではない。アルバム《軌跡の悲劇》で冒頭を飾る、同名の曲では、

この素晴らしい、子どもっぽさったら
あたしはそれを知らない……
そのせいで、あたしはあたしの故郷に戻ってしまう
ルーアン、フランスにある小さくてかわいい街
そこで、一人の黒人が時間を過ごした
その場所には、歯軋りをした歯が埋まっている

フランス北部のルーアンはカゼーが育ったところ。少女時代、カゼーは「少しエキゾティックなかわいい娘」として遇された、と語っている。なんて社会性のない女の子だったのか！　とも。

つまり、ここにある自己省察は、半ば精神分析的なものだ。自分の過去を振り返り、自我の成立過程を反省的に思弁する姿勢は、精神分析医のようでさえある。一方で、黒人たちによる「暴動」を煽るような言葉を書きつけながら、一方では、自身を精神分析的に語るという態度は、ある固有名を想起させる。

フランツ・ファノン（1925〜1961）。マルティニック島出身の精神分析医でありな

がら、アフリカ諸国の独立に深くコミットした活動家であり思想家だった。一九七五年にルーアンに生まれたカゼーもまたマルティニック系。彼女の脳裡には常にフランツ・ファノンの姿があった、と言えば言い過ぎだろうか。ただ、カゼーは自分の音楽は「ラップ・フランセ」ではなく、「移民のラップ」だと繰り返し語ってきた。フランスのラップ、なのではなく、移民の言葉なのだ、と。

『黒い皮膚、白い仮面』を書いたフランツ・ファノンや、もっと言えばマルティニックの詩人であり政治家でもあったエメ・セゼールは、カゼーのラップの言葉にとって、常に源泉であり続けているのではないか。前掲書のなかでベッティナ・ジオはこのあたりのパースペクティヴを裏書きするように、歴史家のパップ・ンディアイ（小説家マリー・ンディアイの実兄）の言葉を借りながら、カゼーの詩を整理している。

カゼーは、黒いアイデンティティの意味を見つけ出そうとする。それは、フランス社会で彼女に負わされている役割よりも、さらに複雑でずっと混乱に満ちたものである。だがその試みを通じて、彼女は、黒人の経験を理論化したり、詩にしたりする人々と対話する。そんな黒人は存在しない、と一九五〇年代にフランツ・ファノンは書いた。なぜなら、黒人というのは白人の構築物だからだ、と。特にファノンは「非・白人」だった。黒人は自らそう認識した。彼らの運命が、他人によって分有されて以来、ずっとそうだった。そう説明するのは歴史家のパップ・ンディアイであり、この言葉は、現代フランスの黒人たちの状況について書かれたものだ。（中略）ただ、アンティル人たちは、フランツ・ファノンがはっきりと書いているように、自分たちを、劣悪な、異なった人種とみなす視線からなかなか自由になれない。黒人は苦しみ、不安にふさぎ込む。同じ質問に導かれるようにして、カゼーは、いったい自分は正確には誰なのかが知りたいと願う。このとき彼女は守護天使のような、別の登場人物を呼び寄せるのだ。詩人であり、政治家でもあったマルティニック人エメ・セゼールがその人である。セゼールは、ネグリチュードという概念を介して、一九三〇年代に「ヨーロッパ的還元主義」から黒人のアイデンティティを解放しようとし、現代世界のなかで黒人の運命を理解しようとした人物である。この知識人の思考から出発することで、カゼーは、黒人女性、カリブ人女性、アンティル人女性、そしてマルティニック女性として、自分を作りあげるのだ[59]。

カゼーは、黒人女性としてのアイデンティティを模索する。それがリリックになっている。歌詞はだから、マルティニックの詩人たちの文学に似る。相似性を検証するのは別の機会に譲ろう。アルバム《軌跡の悲劇》には、すでに彼女が愛するファノンやセゼールの名前が出てくる。〈Chez moi（シェ モア）（私の家）〉という曲。

59 引用…前掲書，p.223.

プレー山を、サヴァンナを知っているか？

カルベの漁師たちを、タルタヌ島の魚を知っているか？

バナナ危機がすっかり定着した間も
サリーヌの浜辺[60]にいるツーリストたちは相変わらず上半身裸だったことを知っているか？

フランツ・ファノンやエメ・セゼール、
ウージェーヌ・モナ[61]や、ティ・エミール[62]を知っているか？

私のイトコたちが海水浴を馬鹿にしているのを知っているか？

ココナツの木々が、悲惨さを何一つ隠さないのを知っているか？

60 プレー山、カルベ、タルタヌ島、サリーヌの浜辺…いずれもマルティニックの場所の名前。

61 ウージェーヌ・モナ…マルティニックの伝説的ミュージシャン。1991年没。

62 ティ・エミール…マルティニックの伝統楽器を演奏するミュージシャン。1992年没。

ユースーファ　ネグリチュードのラッパー

Youssoupha（以下、ユースーファ）の名前とともに、すぐに思い出される事件がある。それは「評伝作家」のエリック・ゼムールとの確執。事件は二〇〇九年に起こる。ユースーファは、極右の政治家ジャン＝マリー・ルペンから褒めたたえられるゼムールの主張（反移民、反フェミニスム、反人権）を思い切りバカにしたリリックを書いたうえで、「ゼムールを黙らせろ」と歌った。実際ゼムールはテレビで有名な「右派言論人」だ。これに対しゼムール側は、ユースーファの態度は明確に「人身攻撃」であり、犯罪であると主張、真っ向から対立したことがある（裁判ではゼムールが勝訴。ちなみにゼムールは二〇二二年の大統領選挙に正式に立候補した。彼の選挙集会で叫ばれた「移民ゼロ！」のシュプレヒコールに戦慄を覚えない者は少ないのではないか）。この事件の詳細な経緯は省略するが、ユースーファは、かくも政治的に「参加」したラッパーなのである。

そのラッパーに〈Négritude（ネグリチュード）[63]〉(2015) という曲がある。ガンと頭を殴られるような、そんな衝撃的リリック。

---

63 Négritude…YouTube 公式チャンネルで視聴可。
https://www.youtube.com/watch?v=cPWuWdt2tqE

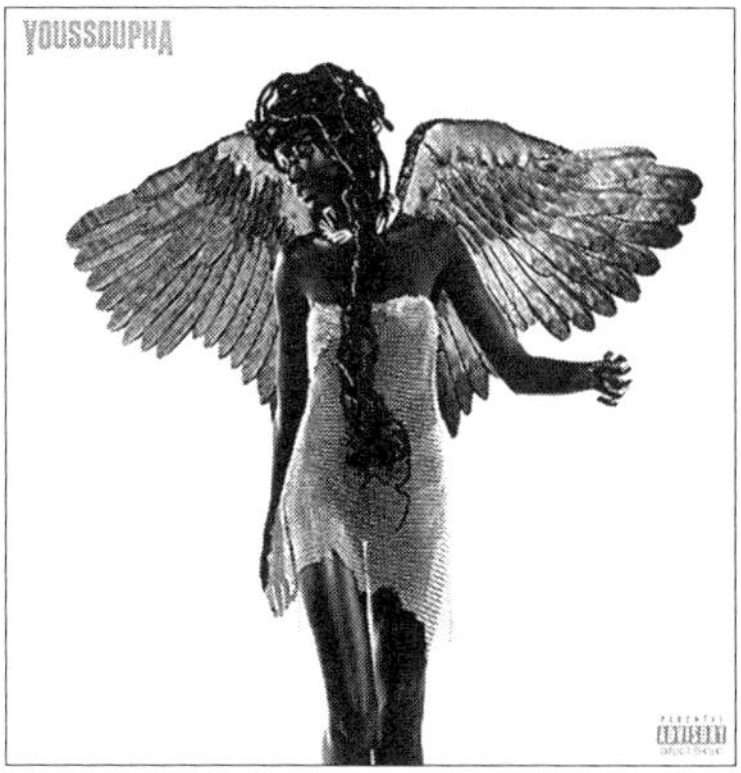

Youssoupha《NGRTD》2015年

アイデンティティについて、
普遍的なるものと融和した、アイデンティティ
について
普遍的であるためには、俺がニグロであることを
否定することから始めなければならなかったけ
れど
反対に、俺はお前に言った、
俺がニグロであればあるほど、俺は普遍的にな
る、と

このリリックは、ユースーファのクレジットがなければ、おそらくカリブ海の詩人エメ・セゼールが書いたものと信じ込んでしまうだろう。実際には、エメ・セゼールはこんな詩句を書いた。

わがネグリチュードは石ではない、
白日の喧騒に投げつけられる耳の聞こえぬ石ではない

わがネグリチュードは大地の死んだ目のよどみ水の上翳(うわひ)ではない
わがネグリチュードは鐘楼でも伽藍でもない
それは地の赤い肉に根を下ろす
それは天の熱い肉に根を下ろす
それはまっすぐな忍耐で不透明の意気消沈を穿つ[64]。

「ニグロ」であることをまともに引き受けること、そのことに誇りをもつために、自らの源泉に立ち返ること。そうして「ニグロ」としての(人種的・文化的な様々な)疎外から解放されること――。「ネグリチュード」を一言で語ることはやはり難しいが、フランスのラップの文脈では、たとえばNTMのラッパー、クール・シャンが〈Qui suis-je?(キスイジュ)(私は誰?)〉という曲(2004)のなかで提出したアイデンティティの問題があり、カゼーは、既出の〈軌跡の悲劇〉という曲(2006)のなかで、フランスの社会の分断された、レイシスト的な側面を強調してみせた。あるいはケリー・ジェイムスならば、〈Banlieusards[65]〉(2008)のなかで、こう歌っていた。

俺たちは失敗を言い渡されたわけじゃない/ほら、これが戦士たちの歌だ/バンリューの住民、そのことを俺は誇りに思って、闘士たちの賛歌を書く/人々は、期待されているこ

64 引用…エメ・セゼール『帰郷ノート　植民地主義論』砂野幸稔訳,平凡社,1997,p.80-81.

65 **Banlieusards**…YouTube公式チャンネルで視聴可。
https://www.youtube.com/watch?v=fT9tYfsbMb4

とをいつもやるわけじゃない／聞きたいと思っていることをいつも語るわけでもない。

ユースーファのリリックは、クール・シャンやカゼーやケリー・ジェイムスに比べても（彼らの系譜を継ぐ者であることを認めたうえで）格段に思弁的かつ明晰だ。

黒い欲望

ユースーファのバイオグラフィを、例外的だがアメリカの大学で提出された学位請求の論文*Kから訳出してみよう。論文の前半で「ネグリチュード」の運動と概念の歴史的経緯を述べたあと、後半で、著者はユースーファ論を展開している。余分なことを書けば、ポップカルチャーとしてフランスのラップに軽く言及する以上の、本格的なラップ研究がアメリカやフランスの大学では着実に行われている。日本語での、この分野の裾野の拡がりを期待したい。

黒人であるという事実、ネグリチュードに対する意識を、エメ・セゼールは、フランスやフランコフォンの数多のラッパーに手渡すことになった。そのなかの一人が、ユースーファである。彼はコンゴ系のフランスのラッパーだ。独自のエクリチュールと独自のスタイルをもったネグリチュードの書き手たちにならって、ユースーファは、

*K Marie-Catherine Astrid, *La Négritude et le rap engagé de Youssoupha*, 2017

自分のオリジナルな「フロウ」に従って自分を表現する。彼は、ラップすることを選び、セゼールのグループの遺産を、彼の世代や後発の世代に託することを選んだのだ。どうしてラップなのか？　なぜならラップは彼のアイデンティティの一部をなしているから。

文学的な先行者であるボードレールやセゼールを意識しつつも、フランスの作家・作曲者であり歌手でもあるユースーファは、彼のテキストに同じ言葉を新しく書き加える。ネグリチュードの運動や創始者に影響を受け、政治的に「参加」したラッパー。彼はたった一つのテーマについて、書き、ラップする。それは黒人のアイデンティティである。

一九七九年八月二九日、キンシャサ生まれ。当時のザイール共和国（現在のコンゴ民主共和国）に、セネガル人の母親と、コンゴのルンバ音楽のミュージシャンである父親（アフリカではよく知られている）との間に生まれる。イスラム教のなかで育つ。イスラム教は、彼のテキストにはしばしば登場する。一九八九年、ユースーファ十歳のとき、母親は息子に傑出した知性を発見する（めちゃくちゃ頭のいい子どもだということがわかった、ということか）。彼女は息子をフランスへ送りだすことを決意。パリの北に位置するヴァル・ドワーズ県の叔母の家、ついでパリの郊外イヴリーヌへ。彼の学業はめざましいものがあり、ヴェルサイユの学校では、バカロレアの口頭試験で最高得点をマーク。文学研究へ進み、次に、ソルボンヌ大学で、文化メディア・コミュニケーションの修士号を取得する。マスター修了のあと、ラップ・フランセへと向かう。

フランスにやってきてからずっと、ヒップホップ・カルチャーのファンだった彼は、文学課程が彼に「エクリチュールへの嗜好」を与えてくれた、と語っている。一方で、彼の学業の素晴らしさにもかかわらず、バンリューでの生活は苦しかった。ゲットーでの経験にインスパイアされ、テキストを書くことになるが、決してそれを称揚することはない。非暴力を貫き、楽曲のなかでは政治的な活動を前進させつつも、自分が価値を置いている黒人のアイデンティティのテーマをもっとも重要視するところは変わらなかった。高校以来、彼はラップにずっと関心を抱いてきた。ラップが彼を救ってくれた。ユースーファは、ラップしたいと思っていた。自己表現の欲望が彼のなかにはくすぶっていた。「あなた自身の内側にそれはある。それは外に出たがっていて、この形で外にでたのだ」(ル・クレジオ)。彼は十四歳でラップし始め、現在、四十二歳。この芸術が、彼の人生の本質を表現していて、ラップとその文化が彼の武器なのである*L。

ユースーファにとって、黒人のアイデンティティを問うことは、それがどれほど繰り返しになってしまおうと、彼がラップする唯一の理由なのだと思う。だから繰り返

*L 前掲論文より。ユースーファの来歴については、完全な翻訳ではなく、割愛した部分があることを申し添えておく。

し、何度も、黒人の黒さについて、その性質について問いを立て、問いただし、ひとまずの答えを書く。彼の立場がもっとも鮮明に出ている曲として、〈Noir Désir（以下、黒い欲望）66〉を引用したい（断っておくが、この曲を引用するのは、同名のロックバンドを私が大好きだったからという理由ではない）。

黒い欲望

愚か者たちは、俺の歌はいつも同じテーマだと言うだろう。
歴史は繰り返す、だから俺は同じ言葉を用いる
俺がアフリカに関して自己満足していると考える
そんな連中はもう抛っておこう！
この歌はフランスみたいなものなんだ、なあ、みんな！
お前がフランスを愛するか、フランスを去るか *M
（中略）
俺は地球のあらゆる植民者どもを必ずやっつける
ゴールドカード一枚で、俺から盗んでいったすべての金を、
奴らは俺に忘れさせたがっていた

66 **Noir Désir**…YouTube 公式チャンネルで視聴可。
https://www.youtube.com/watch?v=UF-Co0QGmig

*M この部分は、ニコラ・サルコジの「フランスが好きでないならば、フランスを去れ」という 2006 年の発言を下敷きにしている。強烈なイロニーだ。

黒はコード[67]、
闘いが俺たちを打ちのめすこともある
ネグリチュードは、一つの文化の歴史だ
人種の問題ではない
希望が死に絶えるとき、それは暴走する
歴史がアルツハイマーに苦しむとき
記憶の義務はどこにある？
怒号のなか、俺たちみたいな人間にとって、地球は大きい
だが、民族紛争やギャングの抗争が原因で
虐殺されるのはむなしい
（中略）
王の心情と、奴隷の血のなかに
民衆の歴史はある

ここで「ネグリチュード」という用語を出して、ユースーファが狙っているのは、それが黒人たちの（白人への）復讐の呼びかけとして、一般的に理解されている語を、いささか明瞭にすることである。ここで彼が言っているのは一点、黒人のアイデンテ

67 **コード**…1685年の「コード・ノワール」を指す。黒人法。ルイ14世の治下、コード・ノワールはフランス植民地帝国における奴隷制の条件を規定し、黒人の自由な活動を制限した。

ィティの要求なのだ。だから「文化の歴史」を強調する。「人種や民族」の問題ではない、と。奴隷制への復讐の役目を担ってはいない、と。

右の引用のなかに「記憶の義務」という語がある。これは、九〇年代に生まれた言葉で、第二次世界大戦や映画『ショア[68]』(1985)への参照を含意している。すなわち、そうした歴史と記憶の問題のなかで、練り上げられてきた用語を幾度も用いることで、歴史を忘却しようとする邪悪な連中の狙いを覆そうとしているのだ。もちろん「ネグリチュード」もそうした用語の一つである。

右の〈黒い欲望〉はこのあと、不意に転換する。フランス語を離れる。私たち聴き手はただ面食らうだけだ。

Moto moindo lamoka telema mpe otala
Outa bonkoko nayo
Y o ozali se kolala
Lamoka naino otala
Ndenge moi ebimi

黒い人よ、眼を覚ませ、立ち上がれ、そして見よ

68 **ショア**…ユダヤ人絶滅政策(ホロコースト)をテーマにした1985年のフランス映画。生還者のユダヤ人や元ナチス関係者などへのインタビューで構成されている。上映時間は9時間を超える大作。

お前の先祖からずっと
お前は眠ることしかしていない
目を覚ませ、太陽が昇るその方法を
お前が見ることができるように

リンガラ語は、コンゴで話されているバントゥー語の一つで、右のリフレインはリンガラ語で書かれている（前掲の論文の指摘から）。右のリフレインの言葉はそう説明されている。私はリンガラ語がわからないので、フランス語から重訳した。この歌はコンゴ共和国のStaff Benda Bilili（スタッフ・ベンダ・ビリリ）という名のグループの〈Moto Moindo（黒い人）〉という曲の一部（実際にこのグループが歌っている）[69]。もとの曲は、黒人の若者に向かって、眠り続けている場合ではない、目覚め、立ち上がり、行動せよ、と訴えているのだが、その曲をここに挿入したユースーファは、意識を覚醒させるという意味で、エメ・セゼールの『植民地主義論』の冒頭の言葉に、この曲をつないでいる。エメ・セゼールは激烈な口調でこう書いた。

それゆえ、ここで肝要なのは、明確に見、明晰に考え、恐れずに理解し、そもそも植民地化とは何なのかという最初の素朴な問いに明確に答えることである[70]（傍点訳文）。

70 引用…エメ・セゼール『帰郷ノート　植民地主義論』砂野幸稔訳，平凡社，1997，p.122.

69 引用…前掲論文，p.27.

最初に戻ること、目覚めることによって入手できる明るさ、明晰さを何よりも重視せよ。そこから歴史が生まれる。ユースーファはそう歌っている。私にはそう聞こえる。〈黒い欲望〉はこんな言葉で終わる。

俺の歴史は、フランツ・ファノンとサンカラ[71]によって書かれた
差異と飛地にもかかわらず、俺たちはやり遂げる
それが、王の心と奴隷の血による民衆の歴史なのだ。

71 サンカラ…トマ・サンカラ。1980年代にオートボルタ（現ブルキナファソ）の大統領を務めた。斬新な政策を打ち出したが、37歳で暗殺された。

ゼフュ　サッカー少年の未来

マブルーク・ラシュディ[72]の小説『Le Petit Malik（郊外少年マリク）』（中島さおり訳、集英社、2012）には、タフで個性的な少年たちがたくさん登場する。もちろん、主人公のマリク。それから、フランスのサッカークラブ「パリ・サンジェルマン」と契約するサム。サムはマリクのサッカーの才能を見抜いており、自分がプロ契約をしたあと、彼らの住んでいるバンリューの団地に戻ってきて、どうして規律をちゃんと守れないんだ？　とマリクを責めるシーンがある。

規律。それが才能以上に大切なのか、マリクはわからない。わかろうともしない。サッカーに過剰な期待をしていない。どこか冷めている。だが、サッカー以外にすることもない。小説にはこうある。

俺たちは（中略）モルタルのフィールドの上で一日中サッカーをしていた。この辺じゃ、スポーツの他に何もすることがない。映画館もない。クラブもない。バーも、コンサート・ホールもない。そんなところへ行きたがるのは物好きだけとはいえ、博物館もない。

72 **マブルーク・ラシュディ**…現代フランスの作家。アルジェリア系移民の2世として、エソンヌ県に生まれる。2006年に作家デビュー。

娯楽場は何キロメートルも離れていて、文化施設は何光年も離れていた。俺たちの地平線にはたった一つ、サッカー選手としての未来だけが描かれていたが、そんなこと言ったって近所中のガキをリーグ・アンに入れるわけにはいかない[73]。

吉幾三ばりに何もない。そこでマリクたちはサッカーばかりしている。ほかには何もないからだ。サッカー以外でマリクたちの身近にあるものはラップ。ウータン・クランが再結成されたりすると、マリクは友達と一緒にパルク・デ・プランス[74]に出かけたりもする。ラップとサッカーの近接は、この小説のいたるところで証明されている。

五歳のマリク少年が成長して青年となり、二十六歳になるまでの成長記録のような小説を読みながら、いつも思い出すラッパーがいる。

Sefyu（以下、ゼフユ）だ。本名は、ユッセフ・スクーナ。一九八一年生まれ。セネガル系。パリ北部のバンリューの街、セーヌ・サン＝ドニに育つ。何よりもサッカーの才能に恵まれていた。左ウイングのポジションで、才能は開花しかかっていた。イングランドの名門クラブ、アーセナルと契約し、渡英する（サッカー好きにはその才能ぶりが伝わるはず）。このあたり、マリクとはちょっと違う。どちらかと言えばサムだ。だが、脚を骨折してしまい、プレーヤーとしてのキャリアに終止符を打つ。英語が不

73 引用…マブルーク・ラシュディ『郊外少年マリク』中島さおり訳，集英社，2012，p.126.

74 **パルク・デ・プランス**…パリ・サンジェルマンの本拠地のサッカー場だが、コンサートにも用いられる。

得手で授業についていけず、フランスに帰国し、ラッパーの道へ。絵に描いたようなラップとサッカーの近接。彼はその象徴でもある。バンリューでは、ラップとサッカーが少年たちの夢、みたいな言い方がよくされるけれど、「じゃ、少女たちの夢は?」という反発心と、「(ラップとサッカーという)その決めつけ、現実を反映しているのか」という疑念がある。だがゼフュに関するかぎり、ラップとサッカーは常に隣り合っている*N。ちなみに、彼がいつも目深に大きめのキャップを被っているのは、ラッパーへの転身に反対していた両親にバレないように、という噂があるが、真偽は定かではない。

Sefyu《Oui je le suis》2011 年

　サッカーを断念したのは、二〇〇〇年の初め。十代の終わりだ。そこから音楽的キャリアを意識した、と告白しているから、ファースト・アルバム《Qui suis-je?(以下、俺は誰だ?-)》(2006) まで六年しかかからなかった、と考えるのが妥当だろう。アルバムを並べれば、《Suis-je le Gardien de Mon frère?(俺

*N ラッパーになって様々なインタビューをゼフュは受けているが、だいたいインタビューの最後のほうで、インタビュアーは、フランスのラップのベスト・イレヴンは?とか、サッカーに関連づけて質問をしている。あるいは、もっとベタに、ゼフュの選ぶ世界のサッカー選手、ベスト・イレヴンは? というものある。ゼフュはそのたびに律義に、GK はレフ・ヤシン、司令塔はジネディーヌ・ジダン、右のサイドバックはリリアン・テュラム、などと答えているのだが、彼のポジションだった左のサイドバックに、元ブラジル代表のロベルト・カルロスを選んでいるのが意外といえば意外ではある。

は兄弟の守護者か?-)》(2008)、そして《Oui je le suis(ああ俺はそうだ)》(2011)まで、順調にリリース。それからまったく音沙汰がなくなって、二〇一九年、ようやく新譜が届けられた。タイトルは《Yusef(ユゼフ)》。本名により近づいたネーミングとなっている。

ゼフュのラップの特徴は、一聴すればすぐにわかる。オノマトペである。思想性や文学性ではない。ない、は言い過ぎか。だが、一聴してすぐに彼のラップに惹きこまれるのは、異様なくらいのオノマトペの強調にある。発音の特徴といってもいい。セカンド・アルバムに入っている代表曲〈Molotov 4(モロトフ4)[75]〉を読んでみよう。「モロトフ4」とは、火炎瓶のことである。

おお、俺はモロトフ(火炎瓶)、アンダーカヴァー
熱いマイクロフォン、俺を「ミスター・オヴァ」と呼んでくれ
俺が変革をもたらす、ラジオ・ノヴァから
グルーヴしている音、お前の髪を剃るだろう
お前はなぜ口を開くのか?
お前が俺に見せてくれるのは何だ?

75 **Molotov 4**…YouTube公式チャンネルで視聴可。
https://www.youtube.com/watch?v=Nzt7puchldA

こんな感じで続く。隠語というよりも、逆さ言葉が多い。固有名詞も盛りだくさん。「アンナ・クルニコワ」（元プロ・テニスプレイヤー）や、「オルネ・ス・ボア」（地域名）、「リュスコフ」（ハンガリーの地名もしくはウォッカのブランド名）等々。意味というよりも脚韻を揃えることに意識が向けられている。すると、最初のパートが終わり、リフレインに。書き写してみる。

Ze-ze-ze-ze-ze-ze, Ze-ze-ze-ze-ze-ze
Ze-ze-ze-ze-ze-ze, Ze-ze-ze-ze-zehefyu
A-a-a-a-a-a, A-a-a-a-a-a
A-a-a-a-a-a, A-a-a-a-a-acide
Ze-ze-ze-ze-ze-ze, Ze-ze-ze-ze-ze-ze
Ze-ze-ze-ze-ze-ze, Ze-ze-ze-ze-zehefyu
A-a-a-a-a-a, A-a-a-a-a-a
A-a-a-a-a-a, A-a-a-a-a-acide

訳してみると、

ゼ・ゼ・ゼ・ゼ・ゼ・ゼ、ゼ・ゼ・ゼ・ゼ・ゼ・ゼ

ゼ・ゼ・ゼ・ゼ・ゼ、ゼ・ゼ・ゼ・ゼ・ゼ・ゼフュ
ア・ア・ア・ア・ア、ア・ア・ア・ア・ア
ア・ア・ア・ア・ア、ア・ア・ア・ア・アシッド
ゼ・ゼ・ゼ・ゼ・ゼ、ゼ・ゼ・ゼ・ゼ・ゼ
ゼ・ゼ・ゼ・ゼ・ゼ、ゼ・ゼ・ゼ・ゼ・ゼフュ
ア・ア・ア・ア・ア、ア・ア・ア・ア・ア
ア・ア・ア・ア・ア、ア・ア・ア・ア・アシッド

というよりも、訳してはいない。音をそのままカタカナに置き換えただけだ。リリックを書き写していて、いったい俺は何をしているのだ、という感覚を味わう。「ゼフュ」と「アシッド」しか聴き取っていないし、意味もない。オノマトペは純粋な音の連続としてリフレインを構成している。その凄さがこの文章を読んでいる人に、うまく伝わればいいのだが。この箇所を最初に聴いたときの記憶はまだ鮮明だ。意味なんかない、とゼフュは歌っている、そう感じた。少なくともこの箇所は、政治的に「参加」することにも関心はなさそうだった。だが、同時に、このようなリリックの作り方をすれば、早晩、限界に突き当たるのではないか、とも思った。それでもいいのだろう。しかしオノマトペのみで構築される世界の、もう少しその先が見たいのだ。

ゼフュは、このリリックの世界をミュージック・ヴィデオへと移植する。これだけ意味のない歌詞世界であればこそ、クリップには意味が求められるのではないか。物語でもいいし、主張でもいい。炎上することを狙って、あえて過激な画像表現に手を染める者もいるかもしれない。ゼフュは、対立する二つのグループの抗争、という構図をヴィデオ・クリップに持ち込んでいる。

赤いキャップと黒いキャップを被った二つのグループ。オートバイ、ボクシング、集団同士の睨み合い。グループは舞台こそわからないが、近未来的な空間のなかで対立する。最後、集団でのダンス。あいかわらず、ゼフュの顔はキャップのつばの下にいおおむね隠れている。

デビューしたころ、顔を出したままだと多くの人が俺に注目してくれないことはわかっていた。だから、ヘッドフォンやキャップを被って顔を隠す写真をたくさん撮った。雑誌の表紙も含めて。〈Molotov 4〉のクリップでも同じ気持ちだった。全員が、NEW ERAのキャップを被り、二つの集団が抗争する。ダンスにおいても。オートバイと、ライヴァルの集団、そしてクリップの間ずっと維持される強い緊張をみれば、アニメーション映画『AKIRA[76]』を思わせるのは、そのストリートの想像力でありコードなんだと思う[77]。

76 **AKIRA**…1982年にヤングマガジンで連載された大友克洋原作のマンガで、88年に同氏によりアニメ映画化された。日本のアニメ・カルチャーを世界に知らしめた作品として知られている。2019年のネオ東京を舞台に、暴走族の少年たちが軍隊と戦いを繰り広げるという内容。

77 引用…Thomas Blondeau, Fred Hanak, *Combat Rap II 20 ans de Rap français/entretiens*, Castor music, 2008, p.223.

大友克洋の偉大さを思わせる、ゼフュの初期のインタビューだが、それはともかく。巧みに人の目を惹きつける作戦がすでに行われていて、私たちがその術中にはまったことがよくわかる。

ただ、彼のリリックの非政治的な部分ばかりを強調するのは、あまりに公平性を欠くだろう。ゼフュはデビュー当時から、低く太い声で特徴的なオノマトペを用いながら、一方で、政治的活動を見せてもいた。そのことを最後に少し紹介しよう。

この第二章は「サルコジに抗する」というタイトルを付けている。サルコジがバンリューで暴言を吐いた二〇〇五年から、大統領選挙に勝利する二〇〇七年、退任の二〇一二年までの期間にリリースされた音源を中心にこれまで複数のラッパーを紹介してきた。ゼフュはどうだったのか。デビュー当時、彼は明確に反サルコジの立場をとっていた。

パリ十九区。とある集会場。若者たちが三十人ほど集まっている。ゼフュが知人のナディアという社会活動家に招かれてやってきたのは、土曜日だった。昼下がり。「俺たちは動物として扱われてきた」、ゼフュは静かに語り始める。若者たちは静かに聞いている。ポロのマーク。オーヴァーサイズのジーンズ。アメリカ製のキャップ。若者たちは政治に関心をもっていない。「もし行動しなければ……注意しろ！　投票すること、これだけが現在を感じる、たった一つの方法なんだ」。ゼフュは当時二十四歳。ラッパーとして日の出の勢い。若者に話をしてほしい、とナディアに頼まれた。複数のアーティストに断られている、とも聞いた。ナディアは「若者たちに、彼らの言葉で話すことのできる誰か」を迎え入れることができて満足していた。ゼフュは、本名のユゼフとして「兄貴」の役を演じようとしていた。「サルコジは、みんなが理解できる言葉で語る、たった一人の人間だ。彼は、俺たちをケルヒャーで掃除したいと言っている。俺たちを挑発している。極右の政治をして、アメリカ流に統治しようとしている」。ゼフュはこう分析する。会場にいたアリは、ゼフュのことをよく知っている。携帯電話には、彼の最初のアルバム《俺は誰だ？》がＭＰ３形式で入っている。新しいシングル〈En noir et blanc（黒と白）〉も。レイシストたちの偏見、たとえば、「黒人はデカいモノをもってる」とか「ポルトガル人は家政婦」とか、そんな偏見を撃つ歌だ。集まった若者たちの両親は、コートジヴォワールやチュニジア、モロッコ、アルジェリア、イタリアからやってきた。アリ自身、マリ系だ。着ているＴシャツには、Stop Sarko！の文字。

ゼフュはこのＴシャツをプレゼントされる[*0]。

その日、ゼフュが何を具体的に話したのかまではわからない。ただ、彼のオノマト

*0 *La rappeur Sefyu appelle les jeunes à voter pour «stopper Sarko»*, Le Monde, le 08 novembre 2006, より。

ぺに近い言葉の響きと、バンリューの若者たちの話す「彼らの言葉」には、どこか共通点がある。何しろ「兄貴」が話す言葉なのだから。

クリュブ・デ・ルーザーとバロジ

この章では、二〇〇五年の「暴動」以後、サルコジが大統領を退任する二〇一二年ごろまで、フランスのラップがどう動いてきたかを見てきた。むろん網羅的に語ることなど私の手に余るのだが、ただ、既述の八グループ以外で、どうしても気になるグループ&アルバムがあるので、以下に。

Le Klub des Loosers 《La fin de l'espèce》2012 年

クリュブ・デ・ルーザー　白い仮面

Le Klub des Loosers（以下、クリュブ・デ・ルーザー）を初めて聞いたのは十年くらい前だった。何よりラップ担当のフュザティの仮面に目がいった。顔の上半分を覆う白い仮面。鼻から下は覆われていない。声に魅入られた。一聴、リリックがわからない。混み入ったことを歌っているのだな、と思う。聴いたのは、〈La fin de l'espèce[78]〉(2012) という曲。同名のアルバムに入っている。意味は「人類の終わり」。終末観が漂う。ピアノが一つだけ、フュザティのバックで鳴っている。

俺は自分の指を世界の起源に突っ込む、舐めさせる。
嫌気がさしたみたいだが、俺はじっと見て、再開する
ある晩、地球は俺に言った、人類を去勢しなくちゃ、と
なぜなら、間違いが何回も繰り返されていて、
その証拠はあんたのガキどもよ、と言う
売春婦より売女の子どもたちのほうがずっと多い
だからあたしは見抜けるの、あんたには隠し子がいるでしょ?
(中略)
俺は自分がヘンだということを知ってる、だから地下鉄に乗ると
その場の全員が、俺のポケットに聖書かナイフが
入ってるんじゃないかって怪しがる
聖書ならナイフより人を殺せるが、林檎をうまく剥けない

78 La fin de l'espèce…YouTube 公式チャンネルで視聴可。https://www.youtube.com/watch?v=iw4l_2p19V4

人間がこんなに地上に満ちる前は、地球は美しかった
俺はパンデミックとごくわずかのワクチンの夢を見る
あなたたちは光ではない（頭が良くない）、
未来はとても暗いと予想される
すぐに（人口は）七十億近くになる、
だからガキを作るのは犯罪なんだ

パンデミックと少量のワクチンを称揚するリリックは、二〇二〇年以後、書きにくい。少なくとも今は書けない。フュザティがこれを書いたのは、二〇一二年のことだ。この曲を含むアルバムを「抑鬱的でウエルベック的[79]」と評した人がいた。たしかにそうだ。人類の終わりをひたすら願ったり、終焉を待ち望んだりする要素が、フランスの人気作家ミシェル・ウエルベック[80]には確実にある。それを偽悪的に書いてしまう部分も含めて、クリュブ・デ・ルーザーのリリックに似ているとも思う。

フュザティは、一九七八年、ヴェルサイユ生まれ。細かなプロフィールはさっぱりわからない。公表されていない。白い仮面の下に隠れているのだ。一九八九年に彼自身がヒップホップを「発見」したとき、ラップは全盛期を迎えるところだった。

79 引用…Mehdi Maizi, *Rap français*, Le mot et la reste, 2016, p.218.

80 **ミシェル・ウエルベック**…20-21世紀のフランスの作家。代表作に『地図と領土』(2010)、『服従』(2015)、『セロトニン』(2019) など。邦訳も多く、人類の終末を予見したような問題作が多い。

俺がラップを始めたとき、それはもうラップじゃなかった。ポスト・ヒップホップだったんだ。ヒップホップを聴いて育った人たちの音楽であり、本物のヒップホップ・カルチャーをもっていて、自分たちなりのやり方でやってる音楽だった[81]。

だから、というわけではないが、フュザティは一度も自分の音楽を「ラップ」だと思ったことはない、という。ラッパーとしての自己認識を幾度も否定している。では、彼はいったい誰なのか。彼の音楽がラップではないのならば、いったい全体何なのか。

フランスで有名な書評番組にゲストで出演したフュザティは、自分の大好きな作家として、マルク＝エドゥアール・ナブの名前を出した。ちょっとだけナブのことを書いておけば、一九八〇年代に小説を書き始めた作家で、活動の最初期には、あの「シャルリ・エブド」紙の前身である「ハラ・キリ」にもイラストを提供していた。ところが二十五冊の書物をいろいろな出版社から上梓したあたりから、変節。二〇一〇年を境に自費出版に切り替える、と宣言し、「アンチ出版」のコンセプトのもと、自費出版を黙々と続けている。二〇一〇年に、フランスのメジャーな文学賞であるルノードー賞に『L'Homme qui arrêta d'écrire（書くことをやめた男）』というタイトルの小説がノミネートされ、話題になった。歴史上、自費出版の本がメジャーな文学賞の候補になった最初の例だった。

81 引用…Abcdrduson, le 29, septembre, 2011.

ナブの小説世界と、フュザティのリリックの切り取る断面が似ているのかどうか、いまの私には判断できない。だが、あくまでもフュザティが作る音楽がエゴ・トリップしたり警察に抗議したりする「ラップ」ではなく、地球上の人口の過剰を嘆くことの多い「音楽」であるならば、全世界の人々を本のなかで殺したいと願うマルク＝エドゥアール・ナブの書物との共通点はありそうだ。フランスのラップの、いわゆる「本流」からははずれるけれど、クリュブ・デ・ルーザーから目が離せない。

バロジ　地中海の向こう側から

この章では、カゼーやユースーファ、それにゼフュを取り上げたので、彼らのオリジンへのこだわりは十分に述べたつもりだ。自分の根を探すこと。それが彼らのラップの一つの型になっている。ただ、Baloji（以下、バロジ）は、さらに踏み込んでいるように聴こえた。ユースーファの〈ネグリチュード〉という曲で、リンガラ語が使われていたことと対照的だ。リンガラ語は、曲と曲の間に置かれている数行に過ぎなかった。それが不徹底だと言いたいのではない。扱いがそうだった、ということだ。

だが、バロジの〈Peau de chagrin（悲しみの皮）〉を聴いたとき、不思議な哀しみが滲んだ。文豪のバルザック[82]の小説に由来するタイトルも挑戦的だ。「あら皮」と訳すべきか？　ちなみに彼の公式のウェブサイト[83]に立ち寄ってみると面白い。目の部分だけをくりぬいたニットの極彩色のかぶりものをしたバロジ本人が出迎えてくれる。ワンクリックで動画が始まる。この曲が流れる。大意を述べればこんな感じか（クリップを参照しつつ）。

色調は「夜の青」。深い青が何かを示すために最初、画面を染め続けている。「夜」という単語が繰り返され、映されている情景が徐々に変容し、深い青から薄い青へと移り変わる。夜が深くなり朝に近づくにつれて知覚も変わっていく。クリップには男

82 バルザック…19世紀フランスのロマン主義を代表する作家。代表作は『ゴリオ爺さん』（1835）、『従妹ベット』（1846）など。

83 Baloji 公式ウェブサイト…
https://www.baloji.com

女一組が映っている。恋人たち。彼らの関係にも青色の変化と同じような変容が起こっていることがなんとなく示される。性的な意味でも感情的な面でも。時間が過ぎていくと、光が強くなるか弱くなるかによって知覚が変わるように、関係性も変化していく。それはちょうど、バルザックの小説『あら皮』が、欲望と寿命の関係を問題にしていることに通じている。強く激しく短く生きるのか、それとも細く長く生きるのか。永遠の命題。だが、バルザックが地中海のこちら側からこの問題を描いていたのに対して、バロジは完全に、地中海のあちら側、つまりアフリカ大陸から描いているように、私たちは思うのだ。これまで数多くの、アフリカに起源をもつラッパーを扱ってきたが、彼らがどうしてもこちら側から楽曲を作っていたのに対して、バロジの「あちら側」感は圧倒的だ。

ベルギー人の父親とコンゴ人の母親の間に、一九七八年に生まれている。小さいころに母親と連絡が取れなくなり、父親の下で成長するも、犯罪に手を染め、警察との関係も悪化する。ただダンスとラップへの情熱だけが彼のなかで持続した。Starflam（スターフラム）というグループに入り活動を開始したのが一九九八年。その後グループを離れ、ソロに。一九八一年以後、消息不明の母親の手紙が届いたのは、そのタイミングだったという。ソロ名義での最初のアルバム《Hotel Impala（オテル・インパラ）（ホテル・インパラ）》（2007）には

Baloji《Hotel Impala》2007年

自伝的な要素が色濃く入っている。その母親の手紙に対する返答として、このアルバムはある。名盤。

フランス語圏のラップ　ヤナマール運動

本書はフ、ラ、ン、ス、のラップを主題としているので、ここまでまったく扱わないできたテーマがある。それはフランス語圏のラップ。フランス語のラップなのでフランスを中心に考えてきたのだが、本当はそんな狭い聴き方では話にならない。フランス語が使われたラップに範囲を拡大するならば、もちろんいま書きつつある文章の数倍、数十倍の分量が必要になるはずであり、私の力量では書ききれないだろう。さらに言えば、フランス語圏の国々で紡がれる現地の言葉によるラップにまで想像を及ぼすならば、それをおおまかに紹介することさえ困難を極めるだろう。だからあえてアフリカのフランス語圏のラップには触れないできた。日本でほとんど紹介されたことがないし、受け入れる土壌もないからだ。

ただ、日本の若者たちと話していて、たとえば日本のドメスティックなチャートには日本語ラップはほぼ姿を消したのに、韓国のグループの曲は存在感を発揮している。そのなかにラップの要素があれば、そこを経由して再び日本のラップに意識が向かう――というような道筋はある、という。とすれば、日本語環境からアクセスできる範囲で、フランス語圏の、もっと言えばアフリカ系諸語のラップを紹介するのも意味があるかもしれない。

二〇一一年、セネガルのラップは熱かった。

同年六月二十三日、セネガルの首都ダカールに大規模な騒乱が起こる*P。中心部では炎と黒煙があがる。大統領のアブドゥライ・ワッドが姑息な手段で政権の延命を図り、憲法の改正案を提示していた。加えて数年来、ダカールの民衆が苦しめられてきた停電も騒乱の一因となった。「送電停止の張本人でありながら基本使用料の請求書だけは毎月臆面もなく停電被害者に送りつけてくるセネガル電力公社」に対する怒りがついに爆発した。

市民の抗議行動は広範に及んだが、このとき「非暴力の市民的不服従を訴える社会運動体、ヤナマール」（もううんざりだ、という意味）の真ん中にいたのが、ラップ・グループKeur Gui（以下、クルギ）のメンバーだった。中心人物はThiat（以下、チャット）とKlifeu（以下、クリファ）。彼らの先輩フ・マラードと若手ジャーナリストのファデル・バロ、アリュー・サネを加えて、二〇一一年一月十六日に結成されたのが、クルギだった。翻訳を担当した真島の解説を引用する。

*P 以下の、騒乱から運動の立ち上げまでの記述は、ヴュー・サヴァネ、バイ・マケベ・サル『ヤマナール　セネガルの民衆が立ち上がる時』，真島一郎監訳・解説，中尾沙季子訳，勁草書房，2017の真島一郎の解説による。

なかでも、ウォロフ語（セネガル国内で最も優勢なアフリカ系言語）の歌詞に乗せて政府の腐敗と庶民の窮状を激しく告発し、真の民主主義にもとづく市民の自立と主権の自覚を訴えたクルギの楽曲は、街の市場で手に入る廉価海賊版の携帯端末をつうじて急速に拡散し、若者にかぎらず老若男女、多くの国民の心を動かした。既成政党とは一線を画し、非暴力の抗議を貫くよう人々に訴えるヤナマールのメッセージは、六月二十三日を頂点とした大規模なデモ行動の継続となって実を結ぶ。彼らが特に青年層に向けて選挙人登録と選挙権の行使を地道に呼びかけた結果、翌一二年の大統領選ではついにワッドが敗北し、至極まっとうな民主的手続による現職大統領の退場が実現した。セネガルの「六・二三」は、たしかに一時的には都市騒乱の様相を呈したものの、ポスト構造調整期西アフリカにおける市民的不服従の強度を体現した歴史の切断面（中略）として、当日の事件の記憶とともに、いまなお国内外で生々しく語り継がれる日付となった[84]。

彼らが何に「うんざり」しているか。具体的にはこうだ。幾つか抜き出そう。

病院の新生児室で乳飲み子を死に追いやるような停電にはもう、うんざりだ。

何ヶ月もの過酷な畑仕事のすえに、収穫した作物を安価で売りさばかなくてはならないのは、もう、うんざりだ。

84 引用…前掲書，解説vii頁

憲法が堂々と侵害されるのは、もう、うんざりだ、うんざり、うんざりだ。自分の共同体の将来を省みず、ただ諦念に浸っている自分自身にも、もう、うんざりだ。定員オーバーのカー・ラブッド〔公共交通のミニバス〕に乗って、警察が、運転手を摘発する代わりに金を巻き上げているのを見るのも、もううんざりだ[85]。

ヤナマール運動のその後(衰退も含め)について、など具体的な中身は既刊の書物を参照してもらうことにして、その本の巻末にクルギの言葉が収録されているので最後に少しだけ。アフリカの諸国で現在権力の座についている人々に何か言うことはありますか? という質問に対して――。

オバマみたいな手合いにノーと言う勇気がないなら、どいてろ。サルコジのような手合いに「よけいな口出しをするな、お前に命令される筋合いはねえ」と言う勇気がないなら、どいてろ。自分が世界の憲兵か何かのつもりでいるような連中が口をひらくたびにお漏らしするぐらいなら、どいてろ。重要な決定に代表として十分に参画する力もなければ、せめてアフリカ全体の拒否権だけでも団結して要求する力もないんだったら、どいてくれ[86]。

---

85 引用…前掲書, p.110-111.

86 引用…前掲書, p.134.

インタビューの言葉からしてすでにラップになっている（たぶん）。ちなみに、二〇一五年十一月二十三日、クルギは東京外国語大学の学園祭でライヴを行っている。時間を作り、彼らに関する資料も読んで準備万端整えていた（はずの）私が、当日、鬼の霍乱よろしく発熱し、ライヴを欠席した事実は、深い後悔の念とともに書き添えておく。その際の熱いライヴの様子は現在、動画サイトでわずかに確認することができる。

第三章

シャルリ・エブド襲撃事件

ATTENTAT CONTRE CHARLIE HEBDO

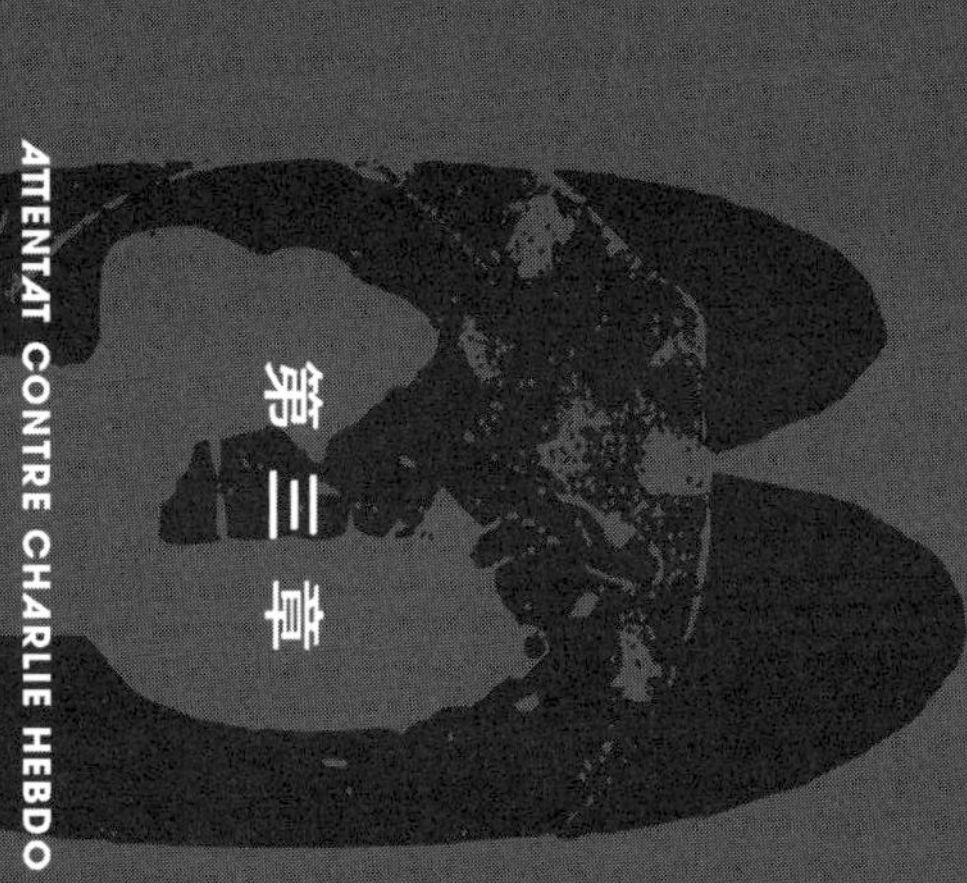

事件の余波

二〇二〇年十月十六日、衝撃的な事件が起こった。パリ近郊の中学教師で、歴史学が専門のサミュエル・パティが殺されたのだ。首を切断された状態で発見される。パティは授業のなかで、シャルリ・エブド襲撃事件に触れ、預言者ムハンマドを風刺画として描いた「シャルリ・エブド」紙を生徒たちに見せていた。もちろんサミュエルは周到に準備している。イスラム教徒のなかで風刺画を見たくない者は廊下に出ることを許可していた。

だが、二〇一五年一月に十二人もの人が射殺されるという事件を引き起こす原因となった風刺画を、教室で見せるという行為には生徒たちの家族の間でも賛否があった。その授業の数日後、SNSでサミュエルの授業のことを知った犯人（チェチェン系、未成年）は、サミュエルの勤めるコレージュ・デュ・ボワ・ドルヌ近辺に現われ、本人を特定して拉致し、犯行に及んだ。遺体の写真をSNSに投稿し、かけつけた警察官にもエアガンを発砲し、射殺された。

前月の九月にも、シャルリ・エブドの旧本社近くでテロが起きたばかりだった。犯人は旧本社（現在は通信社などが入居）から出てきた二人を刃物で襲撃し、重傷を負わせた。ＡＦＰによると、被害者と同じ通信社に勤める女性は「叫び声が聞こえたので窓のほうに行くと、同僚が刃物をもった男に追いかけられて血まみれになっているのが見えた」と語った。サミュエル・パティ殺害事件は、それから一か月後の凶行だった。

大統領のエマニュエル・マクロンは、国葬でサミュエルを遇する。葬儀が行われたのはパリのソルボンヌ大学。マクロンは「パティ氏は共和国の顔、自由の顔になった」と讃えた。式典に先立って、レジオン・ドヌール勲章[1]が授与され、遺族と政治家を合わせて合計四百人ほどの参列者があった。マクロン大統領の発言を要旨だけ述べれば——。犯人を含むイスラム過激派の悪意に満ちた陰謀、愚かさ、あるいは他者への憎悪によって、サミュエルは殺害された、「表現の自由」で認められている風刺画をやめることはない、われわれは自由のために戦い続ける……。

むろんマクロンの言葉には猛烈な反発が起きる。「表現の自由」をめぐって、社会は分断されている。大統領の言葉は亀裂を深めこそすれ、解決する方向へ向いていない。少なくとも現状では。

1　レジオン・ドヌール勲章…1802年、ナポレオン・ボナパルトによって制定された栄典で、フランスの最高位勲章に位置付けられている。

シャルリ・エブド襲撃事件とは

シャルリ・エブド襲撃事件についても最低限の事実のみ、述べておく。事件が起ったのは、二〇一五年一月七日。午前十一時過ぎ。パリの本社には週に一度の編集会議のため風刺画家・編集者が集まっていた。そこに、カラシニコフをもった二人組が乱入し、乱射。十二人が死亡した。亡くなった人の名前を挙げる。黒づくめの襲撃犯が来たときに社屋のビルのメンテナンスのためそこにいたフレデリック・ボワソー。警護の警察官フランク・ブランソラロ、同じく警察官のアフメド・ムラベ。編集長のシャルブ、編集者のベルナール・マリス、風刺画家ジョルジュ・ウォランスキ、カビュ、フィリップ・オノレ、テイニウス。それからコラムニストのエルザ・カヤット、校正担当のムスタファ・ウラド、そして旅行記作家のミシェル・ルノー。

犯人の二人は、サイード・クアシとシェリフ・クアシの兄弟。少年期に母親(シングル・マザーだった)を失った二人は、パリ周辺の児童養護施設を転々としながら成長し、犯罪に手を染め、逮捕され、出所するといった生活を繰り返すなかで、イスラム過激派の思想に触れた。刑務所が過激思想の「学校」と言われる所以だ。事件後、二人は黒のワゴン車に乗って現場から逃走し、パリ北東部のダマルタン・アン・ゴエルにある印刷所に姿を見せたのは、二日後のことだった。クアシ兄弟は数時間籠城したが、憲兵隊特殊部隊によって射殺された。

本書の趣旨から言えば、シャルリ・エブド襲撃事件、およびそれと関連した事件がどのようにフランスのラップに影響を与えたか、を語ることが大切だろう。事件直後、二人のラッパーの反応はのちに述べるとおり（グラン・コール・マラッドとアブダル・マリク）だが、ここでは少しだけ事件を遡ってみたい。つまり、二〇一五年以前の、「シャルリ・エブド」紙とラッパーの関わりについてである。

シャルリ・エブド紙の風刺画が、イスラム過激派の怒りを買ったのは、これが初めてではない。二〇〇一年のアメリカ同時多発テロ事件以後、シャルリ・エブド紙はたびたびムハンマドを含む風刺画を掲載してきた。そのプロセスで、同紙は様々なレベルの脅迫に晒されてきた。警察は発行する会社を警護対象に指定していた。

二〇一一年には、編集部に火炎瓶が投げ込まれたこともある。こうしたなか、二〇一三年、映画『La Marche（ラ・マルシュ）（行進）[2]』の公開に先立って発表されたアルバムのなかで、ラッパーのネクフ[3]は、「シャルリ・エブドの犬たちが火刑に処せられるのを、俺は望む」とラップしている。じつは「火刑に処せられる」と訳したのはやや舌足らずで、autodafé（オトダフェ）という単語が使ってあるのだが、この語は、異教徒が火にかけられる、というニュアンスを含んでいる。つまり、宗教的意味合いが強い単語でもある。

2 **La Marche**…フランス・ベルギーの共同制作の映画。ナビル・ベン・ヤディール監督。2013年公開（日本未公開）。

3 ネクフ…詳細は第5章を参照。

二〇一五年一月七日の事件を受けて、ネクフは自身のFacebook上で、自責の念に満ちた反省の言葉を記し、謝罪した。この時期のネクフはといえば、ファースト・アルバムを六月にリリースすることになるなど、ミュージシャンとして飛躍する直前のころ。この事件がネクフ本人にどんな影を落としたのか、彼のリリックを読んでいてもはっきりとはわからない。ただ、ネクフを含むラッパーや、テレビやラジオの関係者（ディレクターや番組プロデューサーを含む）は、少なくともかなり真剣にシャルリ・エブド襲撃事件を受け止めていた。

事件から一年経った二〇一六年一月、パリのライヴハウス「シガール」では、複数のラッパーが参加するライヴが行われていた。参加者は、ケリー・ジェイムス、ユースーファ、オクスモ・ピュッシノ、リム・カといった、これまで本書でも大きく扱ってきたラッパーたち。いわゆるコンシャス系のラッパーである。過激主義に抗して、二〇一五年の犠牲者へオマージュを捧げる、という趣旨。「二〇一五年の犠牲者」と銘打たれているのは、シャルリ・エブド襲撃事件だけではなく、二〇一五年十一月十三日に、パリ連続テロ事件が起こっていたからである。この連続テロでは、フランス代表のサッカーの試合（ドイツとの親善試合）が行われていたスタッド・ド・フランス、パリ市街の庶民的なレストラン、そして劇場のバタクランがイスラム過激派の戦闘員によって狙われ、百名以上の命が失われた。

ライヴの主催者は「自らを語り、地元の声を代弁する拡声器としてのアーティストたちの語るフランスを、私たちは求めています。ソラルやデュードネ[4]のレトリックが壊してしまった橋を、再建するガイドとして彼らのラップが必要なのです」と語ったという[*A]。

この日集まったラッパーたちは、シャルリ・エブド襲撃事件から一年が経っても、まだ話すことは難しい、と言っている。集まったメディアの関係者の代表的な意見は――。「シャルリ・エブド襲撃事件のころ、動画のなかで武器を笑いものにしていた。ミュージック・クリップの世界は二つに分かれていて、私たちはフィクションをとおして真実に近づいていく道を採っていた。十一月十三日のテロ以後、武器が映っているすべての動画を私たちはアンテナから排除しています」と。シャルリの事件直後、「表現の自由」が運動の前面に出てきて、ラッパーのクリップを検閲することそのものが悪いことだと思っていた、という。だが、十一月十三日にバタクランで八十九人もの人が虐殺されたあと、この種のクリップを放送することは適切ではない、と見なされている。ある種の検閲は仕方がない、というあたりまで「後退」を余儀なくされている、とも語っている。それが後退なのか、どうか。ただ、ラップは多様であり、なかには「ラップ・ポジティヴ」としか形容しようのないラップがあって、ネガティヴな

---

4 ソラルやデュードネ…いずれも、現代フランスの代表的な右派言論の扇動者。

***A** 2016年1月11日付ル・モンド紙，Les rappeurs en première ligne pour les commémorations des attentats，ステファニー・ビネの記事に拠る

ことを排除したところから立ち上がったラップにこそ、これから注目していかなければならない、と、とある音楽プロデューサーは語る。ポジティヴなラップの例として挙がっているのは、ユースーファ、ビッグフロ&オリ、そしてギムス。本書にこれから登場するラッパーたちでもある。

ただし、この日、テロの与える精神的外傷に苦しみながらも、リム・カの〈Tristesse（悲しみ）〉という曲だけは、ある一線を越えて「向こう側」のポジティヴな領域に辿りつこうとする意志をみせていた、とライヴを会場で観ていたステファニー・ビネは書いている。その歌にはこんなリリックがある。

息子を亡くした母親のように、俺は自分の頬を引っ掻く
血の雨が降るけれど、俺には傘がなかった
楽園を夢見ている
自分の故郷が泣くのを見た、パリが泣くのを見た
お前の顔を俺は忘れることができない
お前のことを愛していた人々と一緒に、
俺は一晩過ごした
お前の誕生日を心に刻んだ

お前の不在をどうやりすごしていこうか？

正直な感想を書けば、テロの与える心の傷を癒してさらに光り輝く未来へ……という歌ではない。どちらかといえば、続発するテロ事件に見舞われた一年を心に刻むために作られた歌のように思える。「悲しみを感じる／心は千々に乱れている」というリフレイン。まだまだ、テロの与える恐怖や不安のなかに人々は暮らしている。ラッパーも例外ではない。そんな歌だ。そして、この歌に歌われている精神状態こそが、このときの、つまり二〇一六年当時のラッパーたちの偽らざる告白だった。

グラン・コール・マラッド　移動の自由

その日のテレビのプログラムは特別編集だった。シャルリ・エブド襲撃事件から数日。事件は生々しかった。多くのミュージシャンが登場し、事件を受けて、自分が作った曲を披露した。長い時間放送枠のあった番組のなかで、もっとも心に残ったのは、Grand Corps Malade（グラン・コール・マラッド、以下GCM）がつぶやくように歌った曲。タイトルは〈#JeSuisCharlie（ジュスイシャルリ）（私はシャルリ）[5]〉。飾りなどまるでない。ノーガードで、そのまま。言葉は長身の彼の口から放たれるや、すぐに消えた。リリックは――。

一月七日、私はベッドに行きたくなかった
ペンを執るほうがいいと思ったんだ、今夜、私はシャルリだから
私たちが誇るべき自由の立役者たちは、自分たちの運命と出会った
今夜、彼らのために書く、絵には描けないから
六六〇〇万人が同じ考えをもってくれれば
彼らのインク壺が決してカラにならないように

5　**#JeSuisCharlie**…YouTube 公式チャンネルで視聴可。https://www.youtube.com/watch?v=U2a79-0QuGo&t=14s

消せない痕跡を残そう、未来の人が知ってくれるように
彼らの才能や勇気が私たちの記憶のなかだけに留まることのないように
物書きや作詞家、デザイナーにグラフィック・アーティスト
ミュージシャン、詩人、絵描き、彫刻家
匿名のセレブたち、プロ、アマチュア
この高まりが、ツイッターよりもずっと遠くまでいけるようにしよう
数人の人間が死んだ、表現の自由を守るために
でも彼らの思想は輝くべきだし、いかなるプレッシャーも受けてはならない
反啓蒙主義に対して、名誉を守りつつ図太い態度で
鉛筆を手にしよう、彼らの闘いが一つの意味をもつように
人間であることがつらい　どうやってあそこまで行けたのか
喧騒のなかで道に迷い、博愛をアカペラで歌う
野蛮だけが大きくなって　尊厳の痕跡さえない二〇一五年
世界は人間性を失った
私はシャルリ、シャルリ、シャルリ……
もしこれからの数か月が、私に嘘をつかせるのだとしたら
この賤しい悲劇が私たちを成長させることがあったとしたら

事件後、「Je suis charlie（私はシャルリ）」のプラカードを掲げてテロリズムを非難するデモ行進がフランスのみならず世界中で展開された。（写真提供：Jan Schmidt-Whitley / Le Pictorium Agency via ZUMA Press / 共同通信イメージズ）

私たちは結びつくことができるだろう、
穏やかな気持ちで一緒にいることを信じられる……
何が起ころうとも、鉛筆がある、今夜、
私はシャルリなのだから

ＧＣＭは静かだが迷いなく、「私はシャルリ」と歌っている。自分自身がシャルリである、と宣言することとは、二〇一五年一月の事件直後のフランスにあって、「表現の自由」に至上の価値を置く、と宣言することであった。そのために闘うという意志の表明だった。その一点において繋がることのできる人々が多かったとだけ、ここでは言っておく。具体的な社会の動きはすでに書いたとおりだ。「私はシャルリ」とTシャツに書き、手製のプラカードを掲げてデモ行進する人々の一人として、GCMは歌っていた。

「グラン・コール・マラッド」は「大きな病気の身体」という意味だ。本人のウェブサイトからバイオグラフィを訳出しておこう。

一九七七年、GCMは、ファビアン・マルソーの名で七月三十一日に生まれる。セーヌ・サン＝ドニの太陽の下に。ライオンのサインの下に。母親の眼の下に。このときすでに母親は、彼に三つの単語からなる綽名をつけていた。P・C・B＝プチ・シャトン・ブルー（小さな青い子猫）。すぐに言葉はやすやすと彼のもとにやってきた。彼は歌い、物語を語り始める。ファビアンはいつもスポーツをやっていた（サッカー、テニス、陸上、特にバスケット）。ときどき文章を書いた。まったく容認できないレベルの文章……。だから彼は誰にもそれを打ち明けなかった。

一九九七年、ファビアンは大きくなり、スポーツの教師になりたいと思った。だが、彼は病院に向かうヘリコプターに乗る。運ばれたその部屋で彼の「本物の仕事」がみつかる……。〔この間の記述ではさすがに不足かと思われるので書き足すが、ファビアンはバスケットボールの世界で、とあるクラブチームに属し、将来を嘱望される選手だった。身長も二メートル近い。だが、不慮の事故が起こる。水深を確認せずにプールに飛び込むと、ほぼ水のない状態で、ファビアンは「スポーツの教師」の夢も、バスケットのフランス代表の夢も断たれてしまう。ヘリコプターで搬送されたのは真実。頚椎を損傷し、長い入院とリハビリの暮らしになる。『patients（パスィオン）（以下、患者たち）』というタイトルの、入院生活を描いた小説があり、その小説をもとに製作された映画もある。ＧＣＭが執筆し、監督している。〕

二〇〇三年、彼はグラン・コール・マラッドになる。集団の病室。１２９Ｈ。同室の病人ジョン・ピュ・ショコラの横にいる。この男の力もあって、彼はスラム・シーンのアクティヴィストになる。三年間、パリの小さなバーのオープンスペースを虱潰しに回る。もっとも純粋なスラムの伝統を、彼の書いたテキストを聴衆と共有するために。それから初めてのスラムの大きなトーナメントで優勝する。〔彼が奇蹟の復活を遂げる契機になったのは、スラムと呼ばれる、一種のポエトリー・リーディングのおかげである。スラムは厳密にはラップとは区別されなければならないが、一般的理解として、ラップよりもリリックに主張が強く出る傾向がある。ＧＣＭのことはおそらく「スラム・アーティスト」あるいは「スラマー」として認識するのがもっとも正しいと思われるが、ラッパーとして扱われることも多いので本書で取り上げている。入院中の、奇妙奇天烈な出来事については、前掲『患者たち』を参照のこと。〕

二〇〇六年三月二十七日、アルバム《Midi 20（ミディ ヴァン）》が発売される。六十万枚を超えるセールス。ＧＣＭはフランスじゅうで百二十日以上、ツアーを始める。次いでベルギー、スイス、ケベック。二〇〇七年、その年のヴィクトワール・ド・ラ・ミュージックで「新人アルバム」と「新人舞台」の賞をダブル受賞する。十二月の終わり、二枚目のアルバムを録音する。

二〇〇八年三月三十一日、アルバム《Enfant de la ville（街の子ども）》を発売。長いツアーを敢行。フランスのみならず、ケベック、マリ、イタリア、ドイツ、そしてリビアで百三十のコンサートを行う。芸術文芸分野での勲章（シュヴァリエ）を授与される。二〇一〇年、三枚目のアルバム制作のためスタジオ入り。《3ème temps（第三の時間）》の準備。十月十八日、リリース。二〇一二年十月十八日、最初の散文作品『患者たち』を刊行。ユーモアと嘲笑と多くの感情をもって、リハビリセンターで起きたこと、その十二か月を語った。悲劇的な冒険について詳しく語る一方で、彼が経験した珍妙さについて、不幸な出来事を経験したルームメイトたちについても語っている。

二〇一三年、四枚目のアルバム《Funambule（綱渡り芸人）》をリリース。二〇一五年十月二十三日、アルバム《Il nous restera ça（私たちにはこれが残る）》をリリース。バビックスとアンジェロ・フォレに音楽作品として曲にしてもらう。二〇一七年、映画『Patients（患者たち）』を制作。映画は複数の賞を受賞した。二〇一八年、六枚目のアルバム《Plan B（以下、プランB）》をリリース、次いでツアー。二〇一九年、二作目の映画『La Vie scolaire（学園生活）』が封切りに。物語は、サン＝ドニの中学の同級生たちにインスパイアされている。主人公の視線を通して、教育カウンセラーになる人物の話。二〇二〇年、アルバム《Mesdames（以下、メダム）》がリリースされる……。〔近年のアルバム、二〇一八年の《プランB》や二〇二〇年の《メダム》は、アルバム・チャートで一位を獲得している。ベルギーやスイスといったヨーロッパのフランス語圏でも人気を着実に広げている。〕

Grand Corps Malade《Mesdames》2020年

本人のウェブサイトからのバイオグラフィは以上のとおり。カッコ書きの部分は私が勝手に加筆した。彼はデビューしてすぐに大ヒットを飛ばしたわけではないが、二〇〇六年のデビュー以来、着実に、ほぼ二年に一枚のペースでアルバムを制作、ツアーでヨーロッパじゅうを回り、知名度をあげてきた。スラムという形式ゆえか、低く甘い声で淡々と詩を朗読するパフォーマンスのゆえか、フランス語圏以外に影響力を及ぼしていくことは難しいだろう。何よりも彼の場合は、リリックこそがすべてであり、楽曲としての魅力を出すためには他のジャンルのミュージシャンとのコラボレーションが不可欠だ。たとえば二〇一一年のヒット・シングルは〈Inch'Allah（インシャラー）（神の思し召し）[6]〉というタイトル。アルジェリアのライという音楽の代表的な歌手であるレダ・タリアニをフィーチャーしていた。というよりも、語りの部分をGCMが、歌の部分をレダ・タリアニが担当する、という潔さだった。GCMはやはり語っているのであり、歌っているのではない。それは二〇二〇年の大ヒット曲〈Mais je t'aime（メジュテーム）（でも愛してる）〉でも変わらない。カミーユ・ルルーシュとのデュオ曲だが、カミーユがピアノの弾き語りでずっと歌っている一方、GCMはずっと語りかける……。

言葉の魔術師である。ラップのように独特のパンチラインがあるわけでもない。メロディを含んでいないので、淡々とした印象を聴き手に与える。単調に聴こえる。そのぶん、言葉は物語を要請する。もう一曲だけ、引用して彼のリリックの面白さを紹介したい。〈Roméo kiffe Juliette（ロメオキフジュリエット）（ロメオはジュリエットが好き）[7]〉、二〇一〇年の三枚目のアルバムに入っている。

ロメオは第三番目の建物の一階に住んでいる
ジュリエットは向かいの建物の最上階

6 **Inch'Allah**…YouTube公式チャンネルで視聴可。https://www.youtube.com/watch?v=acq6pYV0qeo

7 **Roméo kiffe Juliette**…YouTube公式チャンネルで視聴可。https://www.youtube.com/watch?v=RcxRMikZrbY

彼らは二人とも十六歳で、毎日、互いを見ている
見つめ合いながら育ってきた、分かち合いたい気持ち
彼らが一線を踏み越えたのは、最初のデートのとき
秋の悲しい空の下、彼らの身体にも雨が降っていた
風も寒さも怖がらない、狂人のように彼らは抱き合った
なぜなら、愛には、理性が知らない季節があるから

ロメオはジュリエットが好き、ジュリエットはロメオが好き
空が優しくなかったとしても仕方ない、天気だから
雷雨のなかの愛、神々の愛、人間たちの愛
一つの愛、勇気、規範を越えた子どもたち二人

ジュリエットとロメオはひそかに会っている
彼らの周りの人々がからかうからじゃない
ジュリエットの父親が頭にキッパ[8]をのせていたから
一方で、ロメオは毎日モスクに通っている
二人は家族のみんなに嘘をつく、まるでプロみたいに計画を立てる

---

8 キッパ…ユダヤ教徒の帽子。

もし二人の愛のための場所がなければ、舞台を作る
映画館で、友達の家で、メトロで、二人は愛し合う
なぜなら、愛には、父親たちの知らない家があるから

ロメオの父親は怒り狂い、疑いを抱く
ジュリエットの家族はユダヤ人で、きみは彼女に近づくべきではない
でもロメオは話をして、抑圧に抵抗する
彼女がユダヤ人かどうかなんてどうでもいい、
彼女がどんなに美しいか、見てくれ
そして、彼の父親が背を向けてから、愛は隠されたものとなる
一方でロメオはジュリエットに贅沢を与える
彼女にとってそれは、ギリシャのサンドウィッチと、
マクドナルドのチーズバーガー
なぜなら、愛には、お金と関係のない結びつきがあるから

しかし、物語は複雑だ
ジュリエットの父親が、読むべきではないメッセージを偶然に見つけてしまう

iPhoneのテキスト、インターネットのチャット
罰が下され、彼女は家から出られなくなってしまう
ロメオは第三の建物のホールで必死に働く
友だちのメルキュティオの頑張りにも関わらず、
彼の楽しみは消えていく
彼のプリンセスは、すぐそこにいる
屋根の下で見張られている
なぜなら、愛には、理性が傷つける刑務所があるから

だがジュリエットとロメオは歴史を変える、切り抜ける
死ぬことよりも生きることで、愛しあえると信じて
シアン化合物の入った小瓶じゃなく
シェイクスピアも気に入らないわけじゃない
なぜなら、愛には、毒の知らない地平があるから

ロメオはジュリエットが好き、ジュリエットはロメオが好き
空が優しくなくても仕方ない、天気だから

反動的で侮辱的な嵐のなかにある愛
時代に先んじた、一つの愛と二人の子ども

この歌がもっているのは圧倒的な物語性、というわけではない。だが、言葉は歯切れよく最小限の物語を構築する。饒舌にではなく、ロメオとジュリエットの物語に、ユダヤとイスラムの問題をすべり込ませる。宗教の対立の問題としてロメオとジュリエットを再認識させる。ＧＣＭの真骨頂だ。そして何よりも私がＧＣＭの言葉が好きなのは、物語の終わりに一筋の希望が見えることだ。ジュリエットもロメオも生きるのだ。小瓶に入った毒を呷るのではなく、生きることでいつか愛し合えると信じている。この、たった数行しかない希望によって、物語は書き換えられる。物語として別の道を生きる。それがＧＣＭの圧倒的な美質である。

アブダル・マリク　新しい「普遍」へ

私がアブダル・マリクに会ったのは、二〇〇八年の秋だったと記憶する。来日していたアブダルにインタビューする仕事だった。東京・市ケ谷にある東京日仏学院（現・アンスティチュ・フランセ東京）の、綺麗に刈り込まれた芝の中庭をのぞみながら、私はどうしても彼に尋ねたいことがあった。９・11以後にイスラム教を信じることを、恥ずかしく思ったと歌った彼には、宗教を信じる存在をいったん引いたところから眺める冷静さがあった。それは宗教を信じることとは少し距離があるように思えた。信じてはいるが、狂信してはいない。〈二〇〇一年九月十二日[9]〉、というタイトルの曲のなかで彼はそう書いていたはずだ（第一章参照のこと）。その態度は、いまも変わっていないのか。信じるという状態と、狂信するという状態の間には、どんな線引きが行われているのか……。

長身を折り畳むようにして椅子に座ったアブダルは、少し元気がないように見えた。ちょうどラマダンの季節で、夕方少し前の時間。食事の時間までまだ結構ある。もちろん時差の問題もあるだろう。加えて日本の湿度だ。体調はベストとは言い難いのか

9　12 Septembre 2001…YouTube 公式チャンネルで視聴可。https://www.youtube.com/watch?v=coYMq0ILHIs

も。「東京の印象は?」と、当たり障りのない質問をする。とてもモダンで、同時にクラシックなところが同居している点に惹かれる、とアブダルは流れるように返してくれる。

静かな男、という印象を受ける。

だが、数時間後、東京日仏学院の小さな舞台に現われたアブダルは違った。黄金の衣装をまとい、縦横に動き回るスタイルは、ラッパーというよりも別の種類の音楽をやっているミュージシャンに見えた。話によると、この数日後、朝霧ジャム[10]に出演した折には、もっとアグレッシヴな演奏だった、という。この日のミニ・コンサートでは数曲を披露するにとどまったが、彼のパフォーマンスを楽しんだことは明確に覚えている。

ステージのあと、芝の中庭に座ってビールを飲んでいると、舞台を終えたばかりのアブダルが近づいてきた。どうだった? と訊くので、愉しかったと一言だけ、バカみたいに答えたことも……。おそらくここで私が思い出すべきことは、その数時間前のインタビューで何を訊いたのか、ということであり、その答えは何だったのか、ということなのだが、一点を除いてまるで覚えていない。

その一点とは、〈二〇〇一年九月十二日〉という曲のなかで、もし信仰がなければイスラム教徒であることを恥じたに違いない、と述べているあなたは、三つのDに助

10 **朝霧ジャム**…毎年秋に静岡県富士宮市の朝霧アリーナで行われている野外音楽フェスティバル。国内外のアーティストが出演する。フジロックフェスティバルなどを手掛けるイベント会社スマッシュが主催している。

けてもらわなければならない、と歌っている。ラップしている。三つのDとは、デリダ、ドゥルーズ、ドゥブレ。フランスの高名な哲学者であるデリダとドゥルーズは（私なりに）理解できるけれど、なぜ、ドゥブレなのか？　と。私はそう尋ねた。レジス・ドゥブレを政治家として評価しているのか、と。だとすれば、デリダとドゥルーズとは世界の違う人ではないか。アブダルは笑って、その質問をしたのはあなたが最初だ、と言った。答えは（いまだ）返ってこない……。

アブダル・マリク（本名は、レジス・ファイエット＝ミカノ）は一九七五年にパリに生まれている。父親はコンゴの高官で、一九七七年にコンゴ共和国の首都ブラザヴィルに家族ともども移住する。レジス少年は、四年後の一九八一年にフランスに戻り、フランス北東部の都市ストラスブールのノイホフ地区のＨＬＭに住まう。両親は離婚、母親が支える生活は苦しかった。貧困と差別に鷲掴みされる。無職の母親は徐々にアルコールに溺れ、レジス少年は、十にならぬ年齢で地元の不良とつるむようになり、犯罪に手を染める。〈Soldat De Plomb（ソルダドプロン）（以下、鉛の兵隊）[11]〉（2006）という曲から——。

俺はたった十二歳だった

11 **Soldat De Plomb**…YouTube 公式チャンネルで視聴可。https://www.youtube.com/watch?v=qU1fS0vXU0o

ポケットには小銭がいっぱい
もうあまりに多くの血を見ていた

鉛の兵隊
鉛の兵隊

俺は青年だった
そのとき、運命がピストルを手にするのを見た
俺たちは一人また一人と斃（たお）れていった
オヴァードーズで
銃器で
ナイフや首吊り自殺で

このときレジス少年には一つの出会いがあった。学校の、ある教師。その「先生」が熱心にレジスに学問を勧めた。レジスはカトリック系のエリート学校に進学する。昼間は「良い仲間」と勉強し、夜は「悪い仲間」とつるむ二重生活を送る。その後、無事にストラスブール大学に入学し、古典文学を専攻する。レジスの教養はこの期間

に蓄えられたものと推測される。大学を出たあたりから、スラムを始める。長兄や従兄弟と一緒にN・A・P（ニュー・アフリカン・ポエツの略）というグループを結成し、活動を始める。スラムは一種のポエトリー・リーディングであり、初期のアブダル・マリクの印象は、ラッパーというよりもスラマーのそれだ。

二〇〇四年以降はソロ活動に専心する。多くのアルバムを制作するが、なかでも忘れがたいアルバムは、セカンド《Gibraltar（ジブラルタル）》（2006）だろう。リリースされるや話題を呼び、様々な音楽賞を受賞した（二〇〇六年のコンスタンタン賞や、二〇〇七年のヴィクトワール・ド・ラ・ミュージックではアーバン・ミュージック部門で優秀賞を受賞する、など）。すでに言及した〈二〇〇一年九月十二日〉という曲も、〈鉛の兵隊〉という曲も、このアルバムに入っている。そして、一曲だけ選べ、と言われたら、私は同アルバムのなかの〈Gibraltar（ジブラルタル）[12]〉という曲を選ぶ。動画サイトで視聴するならば、ぜひライヴの様子

Abd Al Malik《Gibraltar》2006年

12 **Gibraltar**…YouTube 公式チャンネルで視聴可。
https://www.youtube.com/watch?v=AX0y5tkPHgM

を映したクリップを見て欲しい。この曲がジャズの即興演奏のごとく繰り広げられる様子は、何度見ても鳥肌が立つくらい恰好いい……。

宗教観　もう一つのイスラム

それはともかく、初期のアブダル・マリクについて、ここまで意図して書かなかった問題がある。それは彼の宗教観だ。フランスの宗教に詳しい伊達聖伸は、アブダル・マリクの最初の著作『Qu'Allah bénisse la France（カラーベニスラフランス）』（フランスにアッラーの祝福を！）』（2004）を参照しながら、アブダル・マリクの生活と信仰をこう紹介している。

「アブダル・マリク」になった彼は、モスクに熱心に通い、『コーラン』を読み、祈る生活を心がける。それは、同じ郊外に住む若者たちがマリファナを吸い、ビールを飲み、愚にもつかぬことを大声で叫んでいるのと対照的である。自覚的なムスリムなることは、品行方正になることを意味していた。

一方、郊外には、イスラームに依拠して西洋を憎むという善悪二元論的な世界観もあったという。物質主義的な西洋近代は人間の尊厳とスピリチュアリティを軽んじ錯乱状態にあり、イスラームだけがそれを癒すことができるという考え方である。

やがてアブダル・マリクは、郊外のイスラームが抱えるいくつかの問題にぶつかる。自分はイスラームに依拠して西洋を批判することはあっても憎しみには突き動かされていなかったが、敵意を物理的な暴力に転換して行動することを主張するムスリムも存在すること。第二に、普遍主義を標榜するイスラームには人種差別がないはずなのに、実際には多くの移民系ムスリムは国籍ごとに分断されていること。第三に、自分にラップの世界を開いてくれたいとこが、イスラームに入って過激化し、社会との接点を失ってしまったこと。そのような道に自分もはまり込んでしまったかもしれない。「学校と勉強に対する情熱のおかげで、私は多くの罠に陥らずにすんだが、本質的には私もいとこと同じくらい壊れやすく、いつなんどき転落するかわからなかった[13]。

アブダル・マリクは懊悩する。そして行きついたのは、スーフィズムだ。イスラム神秘主義とも呼ばれることのあるこの教えは、深く彼の内面に届いた。アブダル・マリクにとってはまさに「もう一つのイスラム」だった。中心にあったのは「大ジハード」と呼ばれる自己との厳しい闘い——。伊達の文章をもう一度、引用する。

「私は黒人とかアラブ人とかユダヤ人といった観点からものを考えることが不可能になった。私がそこに見るのは人間だけだ」。アブダル・マリクの歩みには、スーフィズムを

13 引用…伊達聖伸『ライシテから読む現代フランス』岩波新書，2018，p.200-201.

通して普遍主義的な人間観に至る道程が暗示されている。ところで、人種や宗教を超えた普遍主義は、本来のフランス共和主義やライシテの理念にも見出すことができるはずのものだ。／おそらく『フランスにアッラーの祝福を！』のタイトルには、現在十分に機能していない共和国の普遍主義を、イスラームによって鍛え直すという著者の思いが込められていよう[14]。

スーフィズムを簡単に要約することなど私には不可能なのだが、神との合一を目指す教義の一点において、ある種の普遍主義が特徴だといえるのかもしれない。だとすれば、人種や国籍や肌の色など関係なくなるはずであり[*B]、アブダル・マリクはまさしくそう語っている。その次元を彼は「スピリチュアリティ」と呼んでいる。

だが、彼が怒りを爆発させる事件が起こる。シャルリ・エブド襲撃事件から四日後の一月十一日午後、パリの共和国広場を含むフランスじゅうの広場に集まった人々は三百万人を超えた。テロリズムに屈しないで「言論の自由」を求める趣旨に賛同する人々がこれほどの数に膨れ上がったことに、外側からその様子を眺めている人間は素朴に驚いたのだが、そのリアルな盛り上がりをテレビ局のスタジオで経験していたアブダル・マリクは、同年『Place de la République（プラスドラレピュブリック） Pour une spiritualité laique（以下、共和国広場）』というタイトルの小さな冊子を発表する。その冒頭近くの言葉――。

14 引用…前掲書，p.202.

*B たとえば『スーフィズム　イスラムの心』（中村廣治郎訳、岩波書店、2007）を著したシャイフ・ハーレド・ベントゥネスはスーフィズムの起源についてこう書いている。「さて、スーフィズムと訳される語の元のアラビア語、『タサウウフ』に帰ろう。この伝統の起源は人類の始まりまでさかのぼる。この主題について偉大な導師たちに尋ねると、タサウウフは人類の到来とともに始まった、と皆答える。人間は絶対者との関係を意識するようになって以来、真理を求めてきた。預言者ムハンマドの到来以前に、スーフィーの先駆者たちは自らを『ハニーフ』〔純粋一神教徒〕と呼んでいて、そのことはコーランの中でしばしば言及されている。

今日、ひとりのフランス人であることは、ひとりの無神論者のフランス人であり、ムスリムのフランス人であることであり、キリスト教徒のフランス人であることであり、ユダヤ人のフランス人であることである。ひとりのフランス人とは、特定の社会階層に出自をもつわけではないし、特別な肌の色をしているわけでもない。

フランス人であること、とは、スピリチュアルである、ということだ[15]。

幾度か読んだが、ここで語られている「スピリチュアル」の中身はいまだ抽象的なままだ。だから彼が「スピリチュアル」という語を重視することで何を語ろうとしているのか、私にはいまひとつわからない。ただ、彼がスピリチュアルな次元での人々の平等を語りながら（このあたり、とても「フランス的」だ）、シャルリ・エブド襲撃事件の直後の人々の反応について、次のように語っている点を見逃してはならないだろう。

正直になろう。私たちの国で、「シャルリ・エブド」の諷刺画は、イスラム教嫌悪や人種差別、あらゆるムスリムに対する警戒心をはっきりと煽ってきた。実際、私たちの社会のようなメディアを媒介とした社会では、出版されているもの、テレビやラジオで

15 引用…Abd Al Malik, *Place de la république Pour une spiritualité laique*, Indigène éditions, 2015, p.7.

流れているもの、職場とか家庭で議論の対象となり得るものが、みんなの視線や判断に影響を及ぼさないだろうと良心に則って考えることなど、不可能である。メディアは権力であり、現実の影響力をもっていて、メディアを過小評価することは、無責任であり、驚くほどバカなことでもある。同じく、すでにかなり酷い目にあわされている信仰の共同体の預言者を、妄想といっていいほど諷刺することができると（内部からにしろ外部からにしろ）信じることは、国内の文脈でも国際的な文脈でも、紋切型やステレオタイプを作り出して強固なものにすることがなかったとしても（もうすでに過度に行われているが）、純粋に軽率な振舞いである。加えて、私たちは民主主義の社会を生きている。民主主義においては、際限のないいかなる権力も、合法的ではあり得ないのだ[16]。

アブダル・マリクはテロリズムを宗教から厳しく排除する姿勢を示す。同時に、イスラム教への嫌悪をあからさまに示す（メディアの）態度にも強い口調で反論する。彼の内面の葛藤をそのまま、機会あるごとに表出している。

ただ、だからこそ、思うのだ。彼はいまラップとして何を表現しているのか、と。作品として、彼の存在を知りたい、とも思う。

現在のアブダル・マリクは、ラッパーやスラマーとして、よりも、作家としての活動を強めているように感じられる。右に言及した『共和国広場』以後、『Camus, l'art

16 引用…前掲書, P.19.

de la révolte（カミュ論）』（Fayard, 2016）や、『Le Jeune Noir à l'épée（剣をもった黒人青年）』（Flammarion-Présence africaine-Musées dOrsay et de l'Orangerie, 2019）といった書物を発表している。最後に、つい最近上梓された小説『Méchantes blessures（意地悪な傷）』（Plon, 2019）に触れて、アブダル・マリクの現在地を示しておこうと思う。

主人公のカミルは、耽美主義的なラッパーだ。コンゴにルーツをもつ、黒人でムスリム。フランスのストラスブールに生まれた。日の高い昼間、アメリカのワシントンで殺される。ストリップ・ティーズが売り物のクラブの駐車場での出来事だった。彼はフランス風の才能の、ある種の具体的な人物像。読んでいて驚いたのは、物語の序盤で語り手であり主人公でもあるカミルが殺されることだ。だが、死んだあとも、カミルは饒舌に語り続ける。

> 銃撃事件があって、二日後、リタは俺の死を確認しにやってきた。彼女はさらに一週間経ってから、ようやく俺の遺体をストラスブールに送還した。ワシントンでは、俺の死は誰の関心も惹かなかった。だが、二十四時間後、リタがまだいろんな手続きに奔走していたとき、俺の名前は世界中のネットをかけめぐっていた[17]。

この小説は、単なる私小説ではない。〈鉛の兵隊〉という曲に描かれていたような、

17 引用…Abd Al Malik, *Méchantes blessures*, Plon, 2019. P.69.

郊外の黒人青年の生と死を歌ったものではない。自分の生い立ちや環境を克明に描き込みながらも、鉛の兵隊を超えた、新しいキャラクターを模索している。それはとりもなおさず、普遍的でスピリチュアルな存在の希求と深く結びついているのかもしれない。

第四章

JUSTICE POUR *ADAMA*

アダマのために正義を

アダマ・トラオレの死

アマダはなぜ死んだのか

アダマ・トラオレの姉、アッサ・トラオレはその著書『Le Combat Adama（アダマの闘い）』（Stock, 2019）で、こう書いている。「二〇一六年七月十九日、トラオレ家の生活は一変した。あたしたちの生活は別の世界へと突入してしまった。アダマは死亡した状態で発見され、ベルサンの警察の庭で、おぞましい姿を晒していた」。

朝の十時ぐらいだった。役所が出頭を命じてきた。アダマに、身分を証明する書類を探してもってくるように、との命令だった。アダマは書類を更新する必要があった。十七時ぐらいだった。弟のバギが路上で警察官から職務質問を受けていた。アダマは自転車に乗っていて、バミューダを履いて、花柄のシャツを着ていた。警官とバギの前を自転車のまま通り過ぎた。ペダルを思い切り漕いだ。逃げる決断をしたのだ。立ち去ろうと思ったが、できなかった。何かとても悪いことをしている気分になり、気が咎めたのだ。身分証明書をもっていなかったから、本当は逃げるしかなかったのに。あたしたちの住んでる「庶民的な」地域では、若者は日常的に暴力を受けているし、同じ警官、同じ憲兵隊によって、一日に五回も職質されることもある。身分証明書を携帯していないとき、どうすればいいか？　どうしようもない。最後は警察署に行くことになる。アダマを見かけた警官は、あとを追いかけて走った。アダマはあるアパルトマンに身を潜めた。このアパルトマンでアダマは警察官たちに見つけられて、総計で二五〇キロに近い三人に組み敷かれることになった。

アダマはスーパーマンじゃない。アダマは壁を通り抜けたりできない。武装しておらず、腹ばいになって無抵抗だった。警察官や兵士というのは、人の命を救うために集められているはずなのに、その日、連中はあたしの弟はこれから死ぬのだ、と決めたみたいだった。まるで、あたしの弟の生死を決める権利があるかのように。

アダマは警察官たちに「息ができない」と言った。彼らは行為を継続した。車までアダマを引きずっていくことにした。車のなかで頭を小突かれ、アダマは失禁した。病院からは二分の場所だった。たったの二百メートルしかなかった。病院まで引きずっていくこともできたはずだ。だが、この日、警察官どもはアダマ・トラオレは死ぬことになっていると決めていた。アダマを車のなかに放置した。病院には連れて行かなかった。警察に連行したのだ。警官たちは手のかかる奴だ、と感じた。しかし、ＳＡＭＵ（救急車）

や救急隊員たちが警察に到着したとき、アダマはまだ手錠をかけられていて、警察官たちはアダマの体調のことなどいっさい考えていなかった。救急隊員たちは手錠をはずすよう、強く進言した。SAMUの医者はアダマを助けようとした。だが、オフィシャルな発表では、十九時五分にアダマは亡くなっている。

連中はあたしの弟を、飼い主のいない動物のように死ぬまで放りっぱなしにしたいと考えていた。犬でさえ飼い主は面倒をみるのに。アダマはその日、たった一人で死んだ。犬みたいに。ベルサンの警察署の燃えるようなアスファルトのうえに横たわって、無駄に死んだ。あたしたちはいなかった。アダマの家族も親戚もいなかった。警官たちは普段、あたしたちを守るとか言っている。言い張っている。でも自分たちで、果たすべき役割を裏切っている。

二十時ぐらいに、弟のサンバが、アダマは警察で病気になったのだ、と教えてくれた。母親とサンバは、アダマを探してボーモンの病院に向かった。だが当然、アダマはいなかった。探し回った。しらみつぶしに病室を回った。アダマはいない。救急隊員にサンバが声をかけると、その救急隊員が警察に電話をかけてくれた。稀なことだった[1]。

アダマの姉のアッサが書いた文章は、簡潔で正確だ。それが読む者の心を打つ。アッサはアダマが死んだあと、社会活動家になっている。彼女の一挙手一投足が注目さ

[1] 引用…Assa Traoré, Geoffroy De Lagasnerie, *Le Combat Adama*, Stock, 2019, p.26-27.

れている。本書以外にも『Lettre à Adama（アダマへの手紙）』（Seuil, 2017）という本もある。もう少しだけ翻訳・引用しようか。

あたしたちは大家族だ。「再構成された」家族。アダマやあたしのママは、タタ。タタに向かって警官はこう言った。「マダム、あなたの息子さんはとても元気ですよ。もう時間も遅いので、今日は彼に会うことはできませんが」。この数時間前にもうアダマは死んでしまっていた。タタは警官にこう返した。「弁護士は呼んだのですか？　アダマは弁護士を呼ぶ権利をもっているはずです」と。公権力の暴力をよく知っている母親だけが言える見事な一文を、タタは正確に発音した。「もし私の息子に何かが起こっているのなら、私はあなたがたを訴える」。タタは立ち去ったけれど、またすぐに戻って来るつもりだった。弟の一人がアダマのためにサンドウィッチをもってきた。警察は二十時四十分にそのサンドウィッチを受け取った。ベルサンとボーモンは小さな街で、往来は素早かった。すべてが驚くほどの速さで回っていた。アダマの友人たち、家族、兄弟たちが全員、警察署の前にやってきた。みんなが到着し、二十三時を過ぎるころには、あたしたちの小さな弟ヤクバも警察署のなかに足を踏み入れていた。タタとヤクバだけが警察の奥に入ることを許された。二十三時十五分ごろ、アダマの死をみんなが知った。タタは泣き叫び、ヤクバは叫んだ。地面に倒れ込んで、怒り始めた。警官がやってきて、二人に飛びかかり、扉から外へ出した。

街が動いた。住民たちが動いた。周辺の街も動いた。トラオレの家ではみんなは一晩しか泣かなかった。二十四時間泣く者はいなかった。翌日にはしっかりと立っていなければならなかったから。

アダマの事件は重罪裁判所に移管された。彼の記憶も、尊厳も汚されようとしていた。警官たちは自分たちこそが犠牲者であるとして通そうとしていた。アダマは死んだが、彼に罪があったのだ、と。そして警官が語る際にはすでに、アダマには名前がなかった。「若い男」とか「二十四歳の青年」とか。彼の名前は皮を剝がされた状態だった。警官たちは、犠牲者になろうとしていた。一方で捜査さえ行われていなかった。自分たちを正当化するのに必死だったのだ。アダマが身分証明書をもっていなかった、だから彼を追いかけたことは「適法」だった……。アダマは刑事犯罪者だった、ならず者だった、刑務所に入っていたことがある、アダマの一家はマフィアだ……。もし一つの家族がこれだけ怪物的だったなら、アダマの闘いは一日で終わっていたことだろう[2]。

彼女の主張をまとめておけば、こんな感じか。アダマは、警察の理不尽な暴力によって死んだ、警察はそのことをいまだに認めていない、アダマを動物以下に扱い、名前さえきちんと呼ばない。こうした処遇は、フランス社会における有色人種への警察

2 引用…前掲書，p.28-29.

の対応のひどさを物語っているが、むろんアダマ・トラオレに限定されるものでもない。アメリカのブラック・ライヴズ・マターと同様に、点ではなく、それはすでに長い線となって、フランス社会のなかに存在するのだ。警察の暴力に対して、フランスのラッパーがどのように反応してきたのかを、歴史的に検討してみよう。

警察の暴力へ

どこに帰るべきか。フランスのラップの歴史を眺めてきた私たちが立ち返るべき地点があるとすれば、それはやはりＮＴＭ[3]だろう。何度でも、ＮＴＭのラッパー、クール・シャンとジョイ・スタールの元へ。ＮＴＭは、その名も〈Police（ポリス）[4]〉という曲で、こう歌っていた。

ポリス！ お前たちの証明書、身分調査
お前が慣れ親しんだやり方は月並みだぜ
ただこの地元のなかだけ
職権乱用の警視どもは、つけあがりすぎ
空気がピリピリしてることをご存じあれ

3 **Suprême NTM**…詳細は本書 P.21 を参照。
4 **Police**…YouTube 公式チャンネルで視聴可。https://www.youtube.com/watch?v=34OnEH4HmaE

敬意もなけりゃ同情もない
後悔することになる、なぜなら
鎮圧によって平和が手に入ることは決してないから
魂の平和、人間への敬意も手に入らない
だが、ヒューマニズムという観念は、やつらが制服を着るとき
もう存在しない
結局形式ばかりを重視して、規格をはずれることが怖いのさ
お前の肌の色が奴らのマニュアルに記載されていなけりゃ
事態はもっと悪くなる
ヒエラルキーに組み込まれて組織化した、最悪のギャング
強い権力に守られてる
精神的にもヤバくて、ひどく酔っぱらってる状態なのに、
いったい誰が国を守るなんて主張できるのか？

NTMはずっとこんな調子で「警察」に文句を言い続ける。四分近い。この曲は一九九三年に発表されたアルバム《1993…J'appuie sur la gâchette…(俺は引鉄を引く)》の収録曲。警察に暴力でもって対抗するよう煽る内容になっている。曲は最後、「ニ

ック・ラ・ポリス！」つまり「警察をやっちまえ」と叫んで終わるのだ。警察との抗争は、この曲を介して法廷闘争に発展する。

あるいは――。前述したように、二〇〇五年秋の「暴動」のきっかけは、ジエドとブーナという二人の少年たちの死だった。彼らの理不尽な死を悼み、ラッパーたちは曲を作った。本書でもすでに言及したケリー・ジェイムスやリム・カたちが〈Hommage à Zied et Bouna（ジエドとブーナに捧げる）〉という曲を発表した。二〇〇六年のこと。

受け入れるにはあまりにつらい現実／十月二七日、ジエドとブーナは俺たちのもとを去った／十七歳と十五歳／逝くには早すぎる／『また会おうな』とか『この地上のそとで』とか／挨拶するには若すぎる

歌はそんな歌詞で始まる。警察への憤怒というより、地元の、シテの若者を失った悲しみが歌われている。リフレインだけ訳す。

ブーナとジエドのために
俺は、涙を少しだけ流しながら筆を執る

苦しみを分かち合おう
泣いている家族の苦しみを
何が起きたのか、理解すること
真実を明るみに出すこと
この重荷が少しでも軽くなるように

そして、アダマ・トラオレの死をめぐっても、ラッパーたちは動く。二〇一七年二月二日、パリ十八区にある劇場、〈ラ・シガール〉にて。「Soirée justice pour Adama（アダマのための正義の夜）」のタイトル。登場したのは、ケリー・ジェイムス、ユースーファ、アルスニク、メディーヌ、ブラックM、ソフィアヌほか、コンシャス・ラップの著名なラッパーたち。フリースタイルか？　アダマのことを歌った曲を披露する。ライヴの途中、アッサ・トラオレが登場、会場が一気に燃え上がる。アッサは弟が事件に巻き込まれるまでいっさい政治的な活動に興味はなかったという。彼女は紙を手にしている。読み上げる。ラップではない。だが、歯切れのよい言葉が静かに、まるで詩の朗読のように会場を満たしていく。それまでラップのライヴ会場だった場所が、文学愛好者の集団に変化したみたいに。

おそらくこのころから、アッサ・トラオレの名前は人種差別に反対するフランスの活動のなかで、象徴的な意味を帯び始めていたと思われる。二〇二〇年六月二十九日付のAFPの記事。

アッサさんの兄ラッサナさんによると、アッサさんは弟アダマさんの死後「自然に」遺族を代表して発言するようになった。「息子を亡くした母親に少し似ている」とラッサナさんは二〇一九年、AFPに語っていた。きょうだいの父親は一九九九年に他界したが、以降はアッサさんが「弟たちの面倒を見て、家族を抱き締めてきた」という。／父親はマリ出身で、四人の妻との間に十七人の子どもをもうけた。妻は二人が白人、残る二人が黒人で、アッサさんは「あらゆる人種と宗教が交ざった」家族だと述べている。（中略）／二〇一八年にエマニュエル・マクロン大統領の政策に抗議する『ジレ・ジョーヌ（黄色いベスト）』運動のデモが起きた際、仏紙フィガロはアッサさんが、「アフリカでは人々が大統領を失脚させる。民衆が宮殿のなかに入っていく。アフリカでそうしたことが起こるのだから、フランスで起きてはいけない理由はない。私たちには用意ができている。美しい革命を実行できる」と発言したと伝えた。（中略）／二〇一六年以降、トラオレ家のきょうだい四人がアダマさんの死をきっかけに起きた暴動や無関係の犯罪容疑で逮捕・収監されている。アッサさんは、四人とも「政治犯」だと主張。「トラオレ家は警察によっていつの間にか戦士にされてしまった」と訴えている。

前掲のアッサの文章のなかで「再構成された」家族、と表現されていたのは、四人の母親、十七人の兄弟・姉妹の集合体を指していたのだ。アッサが今後、「美しい革命」の闘士となるのかどうか、私にはわからないし、「美しい革命」なる語が、本当に彼女の口から放たれたのかどうかも、いまのところ確認できていない。ただ、アッサ・トラオレの登場は、それが（きっと）偶然の一致とはいえ、アメリカのブラック・ライヴズ・マター（BLM）運動を思わせる。そう、BLMにもアッサのような存在がいた。パトリース・カーン＝カラーズとアーシャ・バンデリの『ブラック・ライヴズ・マター回想録』（序文アンジェラ・デイヴィス、ワゴナー理恵子訳、新田啓子解説、青土社、2021）を読むとそれがよくわかる。

ブラック・ライヴズ・マター

二〇二〇年にアメリカで燃え上がった炎——ブラック・ライヴズ・マターは、直接的には警官によるジョージ・フロイドの殺害を契機にしているけれども、その語の起源はさらに七年ほど遡る。二〇一二年、十七歳の黒人少年トレイヴォン・マーティンは、彼を不審者と思い込んだ一般市民のジョージ・ジマーマンによって射殺される。

二〇一三年七月、ジマーマンは裁判にかけられるが、危険な不審者に対する市民の発砲を許可するフロリダ州の法律に守られる形で、無罪判決を受ける。このニュースをFacebookで知ったアリシア・ガーザは、「人を殺しておいて不起訴、ってどういうこと？」と怒る。ガーザはFacebookにこう書き込む。『ブラック・ライヴズ・マター回想録』にはこうある。

あえて言えば、予想していたなどと言うことをやめてほしい。そんなことを言うこと自体が恥さらしだ。黒人の命がどれほど軽んじられているか、その現象を見るたびに私は驚き続ける。これからもそうだ。自分たちの命が投げ捨てられるのを黙って見ているのはやめよう。同朋たちよ、私は諦めたりしない。絶対に、諦めない[5]。

BLMの誕生である。

同じ本には、彼女たちの叫びのような声が聴こえる。

私たちの活動に参加している人々の多くがそうであるように、私は貧困と警察という二股の恐怖の狭間で育った。最初はロナルド・レーガン[6]、そして後半はビル・クリントン[7]が次々に強化していった麻薬戦争のさなかに成長した。BLMのメンバーたちが育

5 引用…パトリース・カーン＝カラーズ、アーシャ・バンデリ『ブラック・ライブズ・マター回想録』ワゴナー理恵子訳，青土社，2021，p.222.

6 **ロナルド・レーガン**…アメリカの第40代大統領。在任期間は1981年1月20日-1989年1月20日。

7 **ビル・クリントン**…アメリカの第42代大統領。在任期間は1993年1月20日-2001年1月20日。

った町の多くが、そして私が育ち、愛しむ故郷の町も麻薬戦争の戦場と見なされ、その〝敵〟はすなわち私たちだった。黒人や褐色人種の私たちよりも、実は白人のほうがずっと多く麻薬を常用し売り買いしているにもかかわらず、薬物の使用や売買人を思い浮かべるとするとそこには黒人、褐色人の顔がある。どうしてそうなるのか、それは彼らが何もしていなくても警官に手荒に扱われる理由と同じだ。黒人であったら、息をしているだけで逮捕される、またはもっとひどい待遇を受けるかもしれないのだ。

それなのに、私はテロリストと呼ばれた。

活動のメンバーたちもテロリストと呼ばれた。

私たち、パトリース・カーン＝カラーズ、アリシア・ガーザ、オパル・トメティ、ブラック・ライヴズ・マターを創設した三人の女たちは、テロリストと呼ばれた。

私たちは人間だ。

私たちはテロリストではない。

私はテロリストではない。

私はパトリース・マリー・カーン＝カラーズ＝ブリグナック。

私は生き延びる。

私はスターダスト、宇宙の始まり[8]。

8 引用…前掲書，p.21-22.

アメリカのBLMが、アッサ・トラオレの起こした運動にどれほど近似しているか、一目瞭然であろう。肌の色が黒いとか褐色だとかによって差別を受けること。あり得ない誹謗中傷を受けること。犯罪者と見なされること。だが、警察はいっさい非を認めず、死んだアダマやジョージは「病死」と診断された。共通点の多さに目が眩むほどなのだが、ここは冷静にならなければならない。

問題は二つ。一つは、アメリカのBLMとの類似性は、フランスの独自性を覆い隠してしまうのではないか、という危惧だ。もっとはっきり言えば、フランスの警察によって殺されたのはアダマ・トラオレであって、ジョージ・フロイドではない。アダマはアダマであり、フロイドではない。アダマの同一性は重要なのだとする立場。

だが反論はむろんある。二つ目の問題はそこだ。名前の固有性にこだわるあまり、運動の拡がりを阻害しているのではないか、と。これは運動が大きなうねりとなって広がっていくときに、あまり個別性にこだわると、運動そのものが大きく成長しないのでは、との反論なのだが、たとえば、ゲイ、レズビアン、トランスジェンダーや障がい者、女性労働者は、その人たちが属する社会のカテゴリーに還元できないのだから、できるだけ連帯を紡ぎ出すしかない。まずそれを優先すべきでは、ということだ。こうした立場の違いを超えるために、BLMは「インターセクショナリティ」(交差性)という概念を大切にしてきた。人が集まると必ず発生する衝突や分裂を越えていくた

*A『ブラック・ライヴズ・マター　黒人たちの叛乱は何を問うのか』(河出書房新社, 2020)所収の、マニュエル・ヤンの文章「ブラック・ライヴズ・マターとは何か」を参照のこと。

めに、相違点を洗い出し、腑分けすること[*A]——それが運動を支える力となる。一見連携しそうにない点と点を結ぶことがインターセクショナリティの意味である。アダマ・トラオレとジョージ・フロイドの闘いは固有名を越えて、連帯することが必要だ。そう考える人もいる。そのとき、歌の力は絶大であり、ケンドリック・ラマー[9]の〈Alright（オールライト）[10]〉は、警察の暴力とそれへの抵抗を象徴する曲となっている。

二〇二〇年六月二日

その日、パリでは大勢の人が集まっていた。晴天。パリ市内北西部にある高等裁判所前には、二万人が集まった。メディアの取材も多い。コロナ禍のなか、マスクをした参加者が圧倒的だ。「アダマのために正義を」と、みんな口々に叫ぶ。目を引くのは、アダマはフランスのＢＬＭなんだ、とマイクで叫ぶ男がいる一方で、アダマはあくまでもアダマであって、ＢＬＭとは関係ない、と話している人もいる。この日、どうしてこれだけの人が集まっているのか。それはアダマ・トラオレの死因が、検察側の発表で（何度目かの）「病死」とされたからだ。アッサの発言にあるとおり、五年前の事件当時、家族の依頼した医者はアダマの死因を「窒息死」であると判断した。

9 ケンドリック・ラマー…アメリカのカリフォルニア州コンプトン出身のラッパー。2012年のデビュー以来精力的に活動を展開し、MTVヴィデオ・ミュージック・アウォード2017では最多6部門を受賞。同年雑誌『フォーブス』の「影響力を持つ30歳以下の重要人物30名」にも選ばれた。3rdアルバムに収録されている〈Alright〉は、ブラック・ライブズ・マターのデモでアンセムのように歌われている。

10 Alright…YouTube公式チャンネルで視聴可。https://www.youtube.com/watch?v=Z-48u_uWHY

2020年6月2日のデモ行進を先導するアッサ・トラオレ。
（写真提供：©Michael Bunel ／ Le Pictorium Agency via ZUMA Press ／共同通信イメージズ）

警察発表とは異なっていた。警察側も再度診断したが、「病死」のままだった。両者の意見は平行線をたどる。事件の二か月後、救急隊の証言が浮上する。救急隊が到着したとき、アダマは安全な体勢で寝かされていなかった、という。手錠をされたまま俯せ状態だった。「窒息」したのだ、と誰しも思う。家族は黙っていない。警察は再診断したが、結果はまたしても「病死」だった。それが二〇二〇年五月二十日のこと。その診断を受けてのデモ行進がこの日行われていた。アッサ・トラオレも登場、「アダマのために正義を」の一言を繰り返す。

この日、メディアに登場した多く

の言論人や評論家、ミュージシャン、作家その他様々な人物から、三人を取り上げてみよう。アダマの闘いがどれほど多様な人物や運動の交差性を実現しているか、その証左として。

まず、ヴィカシュ・ドラソー。ボサボサの頭髪、伸び放題の髭。ヴィカシュは、一見、何をやっている人なのかわからない。前年には、左派政党の「不服従のフランス」から地方議会に立候補（パリ十八区）し、名簿順位が一位だったにもかかわらず、落選。現在は政治活動をする人、という認識でたぶん間違いではないが、ヴィカシュは足元の技術において卓越した才能をもつ元フランス代表のサッカー選手だった。その彼が「アダマのために正義を」のデモ隊の前で口にしている名前があって、とにかくCamélia Jordana（以下、カメリア・ジョルダナ）の勇気を讃えている。数日前、テレビの有名討論番組に出演した歌手のカメリア・ジョルダナは「警官がいるところで安全だと感じたことはない」と明言していた。彼女の発言を受けて、ヴィカシュ・ドラソーは「みんながテレビを観ている前で、警察の暴力とレイシズムを暴露するというのはとても勇気のいることだ」と擁護した……。

ヴィカシュ・ドラソーの書いた自伝のタイトルは『Comme ses pieds（コムセピエ）（彼の足みたいに）』（Seuil, 2017）だが、その本のなかでヴィカシュは、フランス代表チームや他のヨーロッパのサッカークラブにはびこる人種差別について、やんわりと批判している。この「やんわりと」というあたりが彼らしい。強い言葉を繰り返して誰かを糾弾するというよりも、少し迂遠な言葉を用いて、何度も書く、というスタイル。

俺はフランス人だし、フランスを愛している。俺がフランスを愛しているのは俺がフランス人だからだ。俺はフランス語を愛している。フランスの食い物が好きだ。俺は攻撃されれば、フランスを守りたいと思っている。俺がミラン[11]に移籍したとき、あらゆる手段を用いてフランスを守った。それ以前よりもずっとフランス人であることが必要とされた。俺たちがイタリア人を非難すれば、その理由を説明しなければならなかった。俺たちは彼らにとって少しばかりベルギー人だった。ミランでは逆に、俺が何を食べたのか、訊かれることがよくあった。俺はもちろんフランス人であることができなかった。頭のなかでは、「ああ、そうだ、俺とあんたたちとは、食べ方は同じ。ただパスタ添えの肉を食べるとき以外は！」と答えていた。フランスや、俺たちのアイデンティティをめぐるいろんな論争について考えるとき、俺はすぐに父親のことを思い出す。フランス人であること、よきフランス人であることって、いったい何だ？　それはどうやって測る？　計算尺があるのか？　そう、俺は「黒い」。俺のオリジンはインドで、両親はモーリシャスからやってきた。でも俺はフランス人だ。そう、フランスでは可能だ。俺は、スペイン系の白人の娘と結婚をして、娘たちは混血だ。そうだ、俺はフランス人だ。でも、

11　**ACミラン**…イタリアを代表するミラノの有名サッカークラブ。

俺は、国家のシンボルと俺がどんな関係にあるか、わからない。「ラ・マルセイエーズ」、マリアンヌ[12]等々。イスラム教徒だった親父ならわかるのに[13]。

ヴィカシュが「黒い」うえにアジア系であることが、彼に対するレイシズムの根底にはある。それはフランス代表チームでも異質な存在だったことを匂わせる。ブラック・アフリカンの起源をもつ選手のほうが圧倒的だからだ。だから有色人種のなかでのマイノリティというポジションが彼には与えられたのだ。彼がアダマの闘いに参加する理由は十分だ。

そしてこの日、六月二日にヴィカシュといつも一緒にいたのは、作家のヴィルジニー・デパント。フェミニスト。物書きで映画監督。彼女もヴィカシュと同じように、カメリア・ジョルダナを称賛する（実際、この日、カメリアはデモの現場に到着、歌声を披露している）。翌日、デパントは、このデモのことを新聞に寄稿している。強い皮肉から始まっている。「何が問題なのかわからない白人の友人たちへ」と題された文章は、「私たちフランス人は人種差別主義者ではないが、私はこれまでに黒人の男の大臣を見た覚えがない。私は五十歳で、いくつもの内閣を見てきたのだが。私たちフランス人は人種差別主義者ではないが、刑務所に入られている人の多くは、黒人とアラブ人である。私たちフランス人は人種差別主義者ではないが、私が本を出すようになって

12 **マリアンヌ**…フランス共和国を擬人化した女性像。各地の公的施設などにその彫像が設置されている。

13 引用…Vikash Dhorasoo, *Comme ses pieds*, Seuil, 2017, p.101-102.

から二十五年間、黒人のジャーナリストに質問をされたのは、ただの一度だけだった。アルジェリア出身の女性に写真を撮られたこともただの一度しかない。」と続いていく。皮肉の利いたカッコいい文章だが、この後、デパントはアダマの闘いに文字どおり、自分の身も投じている。

私にはもう、ツイッターの書き手たちが、待ち構えていたかのように言い当ててくるのが聞こえてくる。政府のプロパガンダに沿わないことを言う人がいるたびに、決まってそうするように、大げさに気を悪くしてみせながら「おー、こわ。どうしてこう暴力的な言い方をするのかね」と。

あたかも、暴力というのは、二〇一六年七月十九日に起こったことでないかのように。あたかも、暴力というのは、アサ・トラオレの兄弟が監獄に入れられたことではないかのように。この火曜日、私は生まれて初めて、非白人の団体に組織された八万人以上の政治集会に参加した。集まった人々に暴力的なところはない。二〇二〇年六月二日、私にとって、アサ・トラオレは、アンティゴネー[14]だった。だが、それは「ノン」を突きつけたのちに、生き埋めにされることに甘んじるようなアンティゴネーではない。現代のアンティゴネーは、一人きりではないからだ。アサは戦隊を召集した。群衆は声をあげて繰り返す。「アダマに正義を」。集まった若者たちは、自分が黒人かアラブ人ならば、

14 アンティゴネー…ギリシア神話の登場人物で、しばしば悲劇の題材にされる。複数のパターンがあるが、アンティゴネーは反逆者である兄が戦死した際、弔いを禁止されていたにもかかわらず埋葬したことで捕らえられ、殺害される（自害するパターンもある）。

警察が恐いのは当然だと言うとき、自分が何を言っているかを知っている。彼らは真実を言っているのだ。彼らは真実を語り、正義を要求する。アサ・トラオレがマイクを手に「みなさんの名は歴史に残る」と叫ぶ。群衆が彼女に拍手を送るのは、彼女にカリスマ性があるからでも、彼女がフォトジェニックだからでもない。彼女の主張が正しいから拍手を送るのだ。アダマに正義を。白人以外の人々にも同様の正義を。そして白人である私たちは同じスローガンを叫んでいるが、二〇二〇年になってもまだそんなスローガンを叫ばなければならないことを、もしも恥ずかしいと感じられないのだとしたら、それこそが限りなく恥ずかしいことだ。恥ずかしいと感じること、それが最低限だ[15]。

臨場感のある文章だ。右のデパントの文章を訳し、解説を寄せたフランス文学者の谷口亜沙子は、アダマ・トラオレ事件に対し、「警察権の濫用」という現在の視座から言葉を加えている。

一方で、フランスにおける警察権の濫用は近年深刻化しており、とりわけ反政府デモ『黄色いベスト運動』の鎮圧に大量の警官が投入されるようになってからは、その被害は白人にも及んでいる。抗議に参加した市民がゴム弾によって片目や片手を喪失する等の被害があとを絶たず、負傷者は数千人にのぼっている。アサ・トラオレの活動は、こうした警

15 引用…ヴィルジニー・デパント「何が問題なのかわからない白人の友人たちへ」翻訳・解説＝谷口亜沙子，『世界』2020年8月号，p.52-53.

察権力と人種差別に対する闘いという二つの側面を持ち、二〇一六年に初めてアサがアダマのために抗議をした際には十数人が街を歩くだけだったが、二〇二〇年六月には、人種も社会階層も年齢の別も超えた、かつてなく混交的な大規模デモの中核となった[16]。

アッサ・トラオレが複数の運動の交差する地点に立っていることは、伝わったのではないだろうか。運動の一つひとつにはそれらを結びつける点が必要で、アダマの特異性を尊重しつつも、その先にある動きを見据えなければならない。アッサはその前線にいる。

16 引用…前掲書，p.56.

『キングコング・セオリー』と#MeToo

フランスにおける#MeToo

話を少し戻す。二〇二〇年六月二日に行われた「アダマのために正義を」の集まりに、フェミニストのヴィルジニー・デパントがいたことはさっき書いたばかりだが、彼女の著書『キングコング・セオリー』は日本では近年になってようやく訳されたところだ。

私はブスの側から書いている。ブスのために、ババアのために、男みたいな女のために、不感症の女、欲求不満の女、セックスの対象にならない女、ヒステリーの女、バカな女、「いい女」市場から排除されたすべての女たちのために。最初にはっきりさせておく。私はなにひとつ謝る気はない。泣き言をいう気もない。自分の居場所を誰かと交換するつもりもない。ヴィルジニー・デパントであることは、他のなによりおもしろいことだと思うから[17]。

[17] 引用…ヴィルジニー・デパント『キングコング・セオリー』相川千尋訳，柏書房，2020，p.10.

右の文章はパンキッシュなフェミニスト宣言として有名だが、原著の刊行は二〇〇六年。かなり前のことだ。フェミニズムにとって不可欠の書物のごとき特別扱いになったのは、#MeToo運動の余波である。波は日本にも及んで、翻訳書の刊行に結実した。

周知のように、#MeToo運動は、アメリカ発。二〇一七年十月のことだった。ハリウッドの大物プロデューサーだったハーヴェイ・ワインスタイン[18]の数十年に及ぶセクシャル・ハラスメントを「ニューヨーク・タイムズ」の二人の記者（ジョディ・カンターとミーガン・トゥーイー）が告発する文章を発表する。数日後、女優のアシュレイ・ジャッドらが実名で告発する（以前〔二〇一五年〕は匿名での告発だった）。こうした動きが、性暴力被害者支援のスローガンとして以前からSNS上に存在した#MeTooと合流し、「タイムズ・アップ」運動[19]とも連携しながら、大きなうねりとなって世界に拡散していく。この運動に大きく関わった二人の記者の著した書物はすでに日本語でも読むことができる（ジョディ・カンター　ミーガン・トゥーイー『その名を暴け』、古屋美登里訳、新潮社、2020）。

では、フランスはどうだったのか。反応は迅速だ。「ニューヨーク・タイムズ」の記事の数日後、ジャーナリストのサンドラ・ミュラーが、セクハラ被害の告発をSNS上で行うように提案して、#BalanceTonPorc（バランストンポール）運動を展開する。Balanceは「告

19 **タイムズ・アップ運動**…2018年1月にハリウッドの著名人たちが発表したセクシャルハラスメントに対する運動。「被害者がハラスメントに泣き寝入りしていた時代は終わった」という意味が込められている。

18 **ハーヴェイ・ワインスタイン**…アメリカの映画プロデューサーでミラマックス社の設立者でもある。プロデューサーを務めた『恋におちたシェイクスピア』（1998）は第71回アカデミー作品賞を受賞。そのほか『パルプフィクション』（1994）、『英国王のスピーチ』（2010）などのヒット作も手がけた。

発せよ、晒せ」の意味。つまりフランスでは、「お前の豚を告発せよ」という運動に生成する。事情が変わったのは、翌年二〇一八年一月九日、日刊紙ル・モンドに一〇〇名の女性たちが連名で、「お前の豚を告発せよ」運動に反対、「男性が女性を口説く自由」を認め、行き過ぎた断罪（画家のエゴン・シーレやバルチュスへの非難を例として挙げている）や排他性を非難する文章を発表した。この件が大きく取り沙汰された理由は、百名の女性のなかに大俳優カトリーヌ・ドヌーヴ[20]が含まれていたからだ。当然、このような大々的な反論をすれば更なる反論がなされる。「男性が女性を口説く自由」とはまさに「女性が裡に秘めているミソジニー（女性蔑視）」であるとの再反論もなされたが、結局、ドヌーヴが被害者の心情を傷つけたとして謝罪した……。

このようにフランスではアメリカやその他多くの国々とは違う形で、#MeToo運動は展開したのだが、さらに細かい分析は、専門家の手に委ねよう。ひとまず、ここで私がこだわりたいことは二つ。この運動は、歌として、できればラップ・フランセとして、どう定着したか、ということ（定着しなかった可能性も含め）。もう一つは、この運動自体への批判（つまりドヌーヴたちが行ったような、自由に愛する権利云々の議論ではなく）として、社会的階層を論拠とする人々がいたことである。

20 カトリーヌ・ドヌーヴ…1943年生まれのフランスを代表する女優。『インドシナ』（1992）ではアカデミー賞主演女優賞にノミネートされた。代表作は『シェルブールの雨傘』（1964）、『昼顔』（1967）など。

アンジェル「あなたの何かを晒せ」

Angèle（以下、アンジェル）は、この曲〈Balance Ton Quoi（以下、あなたの何かを晒せ）[21]〉のヴィデオ・クリップで淡々と歌っている。クリップはセクシズムを矯正する学校（「アンチ・セクシズム・アカデミー」という学校名！）に入学した男たち（そのうちの一人を、人気俳優のピエール・ニネ[22]が演じている）を描くもの。動画のなかの彼女の腋の下には、毛が生えている。意図したものだ。彼女が歌う二〇一九年の大ヒット曲〈あなたの何かを晒せ〉は、こんな歌詞だった。

彼らは動物みたいに話してる、雌猫[23]たちについて悪口を言う
二〇一八年にもなって、何が必要か、あたしは知らないけど
あたしは動物以上だわ
ラップが流行りだって知ってたし、
下品であればそのほうがいいってことも知ってた
ええ、たぶんルールを壊す必要があるでしょ、

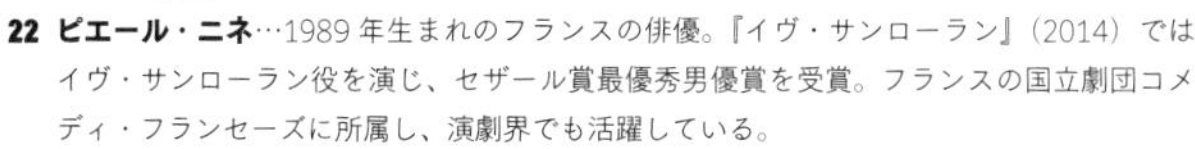

21 Balance Ton Quoi…YouTube 公式チャンネルで視聴可。https://www.youtube.com/watch?v=Hi7Rx3En7-k

22 ピエール・ニネ…1989 年生まれのフランスの俳優。『イヴ・サンローラン』（2014）ではイヴ・サンローラン役を演じ、セザール賞最優秀男優賞を受賞。フランスの国立劇団コメディ・フランセーズに所属し、演劇界でも活躍している。

23 雌猫…雌猫の意味で使っている「chattes」は同時に女性器も指す。

それをやるのは女の子で、それが普通のこと
あなたの何かを晒してみて
女の子のことを悪く言うとしても、
結局、あなたはわかっていたんだとあたしは思う
あなたの何かを晒してみて
いつか、たぶん、変わるから、あなたの何かを晒してみて

あたしに、あなたに向けて歌わせてほしい
あなたに×××と言いたい
ラジオではオンエアできないかも
あたしの言葉はあんまりキレイじゃないから

男たちはあたしにほのめかす
「カワイイわりに、バカじゃないんだね」
「面白いわりに、ブスじゃないんだね」
「両親やお兄さんがいると困らないよね」*B

*B アンジェルの家族は、兄でラッパーの Roméo Elvis も含め全員音楽家であるため。

あたしのこと、話してるのね？　何か問題でも？
あたしはあなたのためだけに書いたのよ
一番美しい詩を

タイトルの〈Balance Ton Quoi（あなたの何かを晒せ）〉はもちろん#BalanceTonPorcを意識したもの。そのまま、と言ってもいい。「お前の豚」ではモロすぎるから「豚」Porcを「何か」Quoiに変えている。響きはやや柔らかくなったかもしれないが、お前の何か（つまるところ「奴ら」や「男」たちの悪事であることに変わりはない）を告発しろ、というもとの文脈には変更はないだろう。

まず最初に認めなければならないのは、この曲自体がラップではないこと、のみならず、この歌にはラップを批判している箇所があることだろう。ラップが流行りなんだって、下品なほうがいいんだって、というところは、端的に、ラップが結局のところ男性性ばかりを強調し、女性をセックスの道具としてしか書いてこなかったことへの強い批判である。「金・女・車」のような、アホみたいな鉄板（だと男のラッパーが思い込んでいる）のクリシェは、そろそろラップのテーマとしても捨てるべきときにきている。

アンジェルは、一九九五年、ベルギーのブリュッセル生まれ。エラ・フィッツジェ

あっこゴリラ《GRRRLISM》2018年

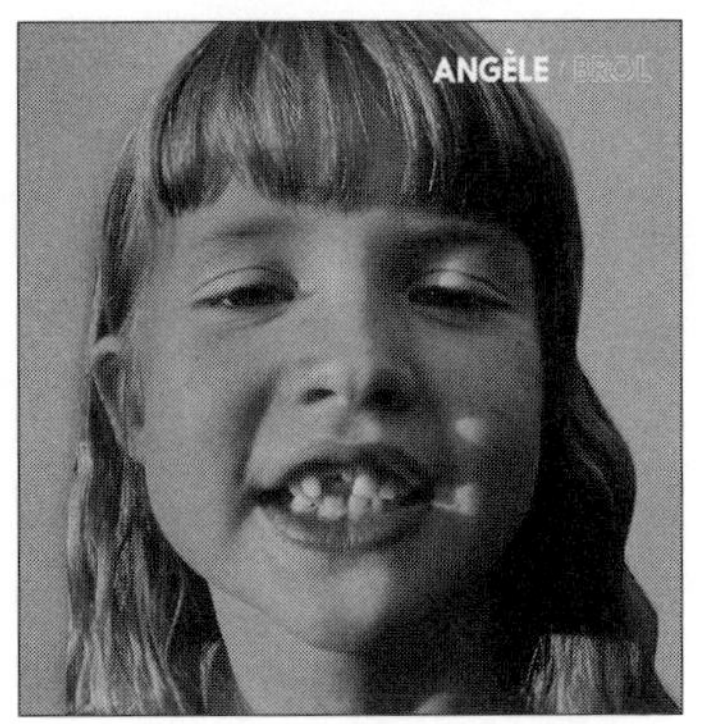

Angèle《Brol》2018年

ラルド[24]とエレーヌ・セガラ[25]のファン、と公言している。二〇一八年にリリースしたアルバム《Brol（ブロル）（無秩序）》は大ヒット。母国ベルギーのみならず、フランスやスイスでもチャートのトップを獲得した。アンジェルの名は人々の脳裏に強く刻まれることになった。二〇二二年一月現在、Netflixでは彼女のドキュメンタリー『Angèle／アンジェル』が配信中だ。

〈GRRRLISM[26]〉（2018）という曲で、日本のラッパーのあっこゴリラ[27]は、私の身体は私が選ぶもの、という意味の言葉を繰り返しながら、私の体だけでなく、髪もカラーも幸せも声も人生も、私が選択する、と歌う。そして、固定観念を壊そう、赤い少年もありなら、青い少女もあり、と歌うのだ（大意の要約だけで、ご容赦を）。

---

24 エラ・フィッツジェラルド…アメリカのジャズシンガー。1934年にニューヨークのアポロシアターで初舞台を踏み、翌年から歌手活動をスタートさせた。代表曲は〈(How High the Moon〉〈Mack the knife〉など。1996年没。

25 エレーヌ・セガラ…フランスのシンガー。1999年にミュージカル「ノートルダム・ド・パリ」でエスメラルダ役を演じる。その後声帯ポリープを患うも翌年見事にカムバック、2001年にはヴィクトワール・ド・ラ・ミュージックで女性歌手賞を受賞した。

髭を生やしてもいいじゃん、と歌っているあっこゴリラは、数年前に腋毛を髪の色と同じ緑に染めている。「シンプルに、腋毛生やすのってかわいくない？ って。言っちゃえばそういうことです」。彼女はあるインタビューでそう答えている。「女の子らしさ」の呪縛を解き放つという意味で、あるいは腋毛のかわいらしさという意味で、あっこゴリラは、アンジェルと同じ地平に立っている。二人の楽曲がほぼ同時に、タイムラグなしにリリースされていることにも注意したい。二〇一八年という年号は、新たな女性性の表象という点において特筆すべき年だったと、後年、歴史家は語るかもしれない。

声をあげる

アメリカ発の #MeToo 運動は、右のごとく、フランスで独特の展開を見せたが、むろんその運動に批判的な人々はいる。運動の理念ではなく、それが届かなかったと語る人々の声を聞こう。二〇一八年四月三日付のカルチャー誌「レザンロックキュプティブル」には、この運動を「エリートのためのもの」と語る女性が登場している。

カブリエルという名のその女性は、数年前、夫に殴られた。初めてではなかった。それだけではない。夫は彼女を絞殺しようとした。ガブリエルは、自分の人生が危機

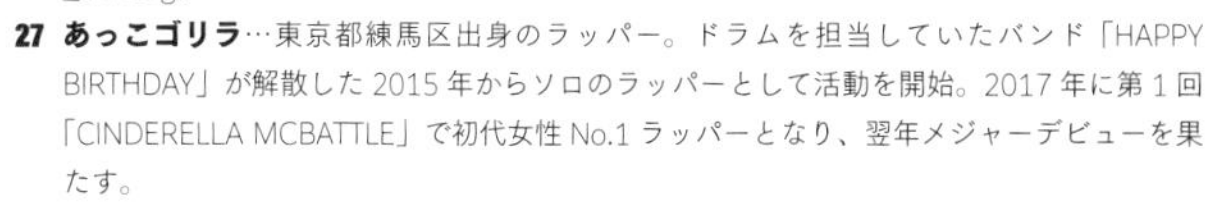

26 GRRRLISM…YouTube 公式チャンネルで視聴可。https://www.youtube.com/watch?v=hMB_tNHbzg8

27 あっこゴリラ…東京都練馬区出身のラッパー。ドラムを担当していたバンド「HAPPY BIRTHDAY」が解散した 2015 年からソロのラッパーとして活動を開始。2017 年に第 1 回「CINDERELLA MCBATTLE」で初代女性 No.1 ラッパーとなり、翌年メジャーデビューを果たす。

に瀕していると感じ、勇気をもって警察に相談した。今日でもなお、警察との会話を思い出すと、怒りで目が眩むようだ、という。「マダム、あなたのアフリカ話には、もうウンザリなんです」。その警察官は言った。「私は反発しなかった。私には息子が一人いて、彼を守るためにもちゃんとしなきゃと思ったから。悪いのは私だ、と思い込んだ」。

結局、夫とは別れた。郊外の複雑な環境から抜け出した。ガブリエルには語る能力がある。自分の受難を白日の下に晒し、苦境を脱する力がある。そのためにいろいろな制度を利用した。「でも、この地域に住んでいるどれほどの女性が、話せないでいるのか？」。彼女はそう問いかける。ワインスタイン事件が起こると、凄い数の犠牲者の言葉が解き放たれたけれど、とガブリエルは肩をそびやかす。彼女はこの運動を冷めた目で見ている。「『お前の豚を晒せ』にしろ『#MeToo』にしろ、自分の考えを人に聞かせる手段をもった、すでに人に知られている人々だから話ができるんだと思う。複雑な環境を生きていると、もっと難しくなる。そんな地域には別の問題もあるから。つまり『お前の豚を晒せ』というメッセージは、いたるところに届くわけでもないし、全女性のためでもない。もちろんポジティヴには捉えている。私たちは一人じゃないことを教えてくれるし、女性への暴力はみんなに起きていることも教えてくれる。場合によっては、罰せられることも証明してくれた。言葉がほどかれているな、とも思う。でもそれは私たちのケースじゃない。私たちにはできないから。この地区の女たちの言うことを誰が聞いてくれるの？」

ガブリエルの意見がすべてとは言わない。だが、ガブリエルのいる地点こそ、最初にラップの誕生した場所ではないのか。誰も話を聞いてくれない人間が声をあげて、それがラップのリリックになったのではないのか。私はガブリエルの言葉を読みながら、素朴にそう思った。素朴すぎるだろうか。そう思う人もいるだろう。ラップはすでに音楽のジャンルとして確立していて、その流儀や方法もできあがっている。だから、ガブリエルのような人の声を代弁することは、すでにラップの機能とは言えないのかもしれない。だが、声をあげたくてもそうする手段をもたない人々を放置して何がラップなのか、と私は反論しよう。しつこく。初発の意志を失った音楽に、意味はない。

シラとラ・ピエタ　フェミニストとして

女性の受ける苦痛に思いをめぐらす

とすれば、フランスにフェミニストのラッパーはいないのか、という点がとても気になる。あっこゴリラのような、軽快でカッコよい曲を、フランス語で聴きたい――。じつはフランスでもたくさんの女性ラッパーは存在する（すでに数人はこの本のなかでも取り上げている）。そのなかで、「政治参加」した、二人の女性ラッパーを挙げておこう。彼女たちの曲は決して軽快ではないが、リリックの届き方は半端ではない。

一人めは、Chilla（以下「シラ」。一部「チラ」との表記もあり）。本名はマレヴァ・ラナリヴェロ。一九九四年、スイスのジュネリエに生まれ、フランスで育つ。母の国フランスと父の国マダガスカルにルーツをもつ。父親は彼女が十四歳のときに亡くなった。彼女の本名であるラナリヴェロは、アルファベットでRanariveloと書くが、マダガスカル流の読みを優先すれば、「ラナリヴェル」。彼女がどっちの音を優先してい

Chilla《Karma》2017年

るのか、わからない。ほとんどのテキストは、いわゆる「政治参加」している歌詞である。

十七歳のときに初めてラップした彼女の才能に目を留めたのは、ビッグフロ&オリ。二〇一六年には、コンピ盤《Planète Rap（プラネット・ラップ）》に招待される。翌二〇一七年、ファースト・アルバム《Karma（以下、カルマ）》をリリース。最新アルバムは、二〇一九年の《MUN》。《カルマ》に入っていた曲、〈Si j'étais un homme（以下、もしあたしが男だったら）[28]〉はこんなリリック。

あなたがあなたの母親には話さないような仕方で
あたしはあなたに話しかける
あたしがあなたの飲み物の金を払えば
あなたはあたしに借りがあるのよ
（中略）

28 Si j'étais un homme…YouTube 公式チャンネルで視聴可。https://www.youtube.com/watch?v=Kn-lbI7MESI

「あなただけだよ」と言って
あなたが唯一無二の存在だと感じさせる
あたしがサッカーを観て、あなたは皿洗いをする
（中略）
あたしが鎖を買ったとしたら
あなたはあたしの雌犬になるのかしら？
あたしはあなたの言うことなんか聞かないけれど、
あなたはそれでも戻って来るでしょうね

リフレインは、「もしあたしが男だったら／互いの役割を転倒させたら」「あたしはあなたのドレスを捲るわ、あなたは自制心が守れるかしら？」「もしあたしが男だったら、互いの生き方を変えるなら」「あたしはあなたを『アバズレ』って呼ぶわ／あなたはあたしに背中を向けるかしら？」。以下、もしあたしが男だったら、もしあたしが男だったら、と続く……。仮定にもとづく、男女の役割の転倒を歌っている箇所だが、リリックだけだとやや常識的な言葉かな、とも思う。だがこの曲のクリップは秀逸だ。男性と女性の、リアルで典型的な役割を交換するような動画を想像するかもしれないが（常識的な現実をなぞるような……）、まったく違う。鍛えぬかれた男女の

ダンサーたちが互いの肌をまさぐるような仕草を歌詞に合わせて交換しつつ、ずっと踊り続けるのだ。動画再生回数三千万回は、爆発的に多い数字ではないが、けっして少なくはない。

シラにはもう一つ、そのものズバリ、〈#Balancetonporc（以下、お前の豚を晒せ）[29]〉という曲もある。もちろん #MeToo 運動のうねりを受けての曲である。

奴らはあたしの芸術がわからない
あたしの音楽はあたしの性と分けられないのに
男尊女卑野郎、タマ無し、豚、言い訳野郎が多すぎる
セクシズムの攻撃の一つひとつが
ミソジニーのコメントが
あたしを強くする
姉妹たちよ、立ち上がれ、ドアの手前で
従順な目撃者のままでいるな

曲はこうやって始まる。ときどき、リフレインの「あんたの豚を晒せ／そうさ、あたしの妹たち、あんたの豚を晒せ」が挟み込まれる。長い曲だ。一部だけ訳してみる。

29 #Balancetonporc…YouTube 公式チャンネルで視聴可。https://www.youtube.com/watch?v=QYAYnGu_iaw

魔女狩りがあってはダメだ
もしできるのであれば声をあげて
起こっているのはとても重大なこと
一人の死、一つの行列のうしろに
あらゆる殺戮、傷跡、判決が雨あられと降りそそぐ
タブーを否定して、その痕跡を消してしまう
教祖は覆面をしていて、人種もわからない
あなたが働いてるときに
そいつはあなたを殴って、魂を奪う
あなたの邪魔をして
愛情でさえあなたをズタズタに切り裂く
あたしはフェミニストじゃない、
本当の言葉を使えば、ユマニスト（人間主義者）
苦しみにヒエラルキーなんかない、
あたしが罪悪感を抱くのは、あなたの痛み一つひとつに対して
マシスト（男性優位主義者）のための時間なんか、ない

あたしは何も言えないすべての女たちのことを考える
ハリウッドでは「沈黙が金」
あなたの名声は、あなたの後見人次第
愛が少なくなればなるほど、拒絶されることも増える

この曲のヴィデオ・クリップの冒頭で、〈おそらく〉シラに寄せられた男性たちからのSNS上のショート・メッセージが貼られている。ひどいの一言だ。彼女が〈お前の豚を晒せ〉という歌を作ったことについての誹謗中傷が、画面に溢れている。とてもここに書けないほどの低劣な罵詈雑言。どうして、女性だけに向けられる性差別的な言葉がこれほど豊富なのか、と皮肉の一つも言いたくなる。だが、シラ自身は「フェミニスト」ではない、と歌う。あえて言えば「人間主義」、と。このあたりは、すでに詳述したケニー・アルカナ[30]とほぼ同じ発想だろう。差異や共同体主義を越えたところにある〈はずの〉普遍的な人間主義を、ケニーも目指していたはず……。

シラは折れない。折れずに同じ言葉を繰り返す。女性だけが受ける苦痛を想像する。そこに思いをめぐらすこと、そして女性たちが声をあげても脅かされない安全性をとにかく、確保することが大切だ、と。身の安全を訴えなければならないほど、フェミニズムは容易でも単純でもないのだ。この曲は、〈もしあたしが男だったら〉よりも

30 ケニー・アルカナ…詳細は p.98 を参照。

直接的で刺さる言葉でできている。

「お前の豚を晒せ」は届いたか

もう一人、フランスのフェミニズム系のラッパーを。La Pietà（以下、ラ・ピエタ）。ミケランジェロ[31]が大好きだったという理由でこの名を自分にもつけた、という女性ラッパーだが、詳細なプロフィールは公開されていない。ただ彼女の歌う曲、〈Tapez（叩け）〉や〈La fille la moins féministe de la terre（その娘は地上でもっともフェミニストじゃない）[32]〉などを聴くと、その正体が知りたくなる。後者のクリップでは、歌詞を紙に書いた覆面の女性が言葉を画面に映しながらフェミニズムの言葉を延々とラップし続ける……。

「あたしはこの地上でもっともフェミニストじゃない」という歌詞を大きな紙に書いた女性。彼女の頭部は、大きな袋（目

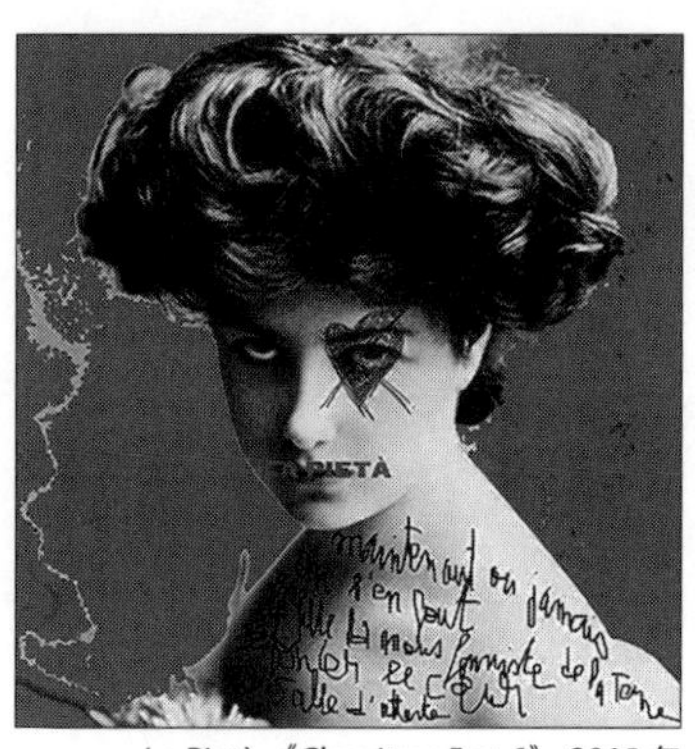

La Pietà《Chapitres 5 et 6》2018 年

---

31 ミケランジェロ…イタリアルネサンスを代表する彫刻家、画家。アカデミア美術館の「ダヴィデ像」とサン・ピエトロ大聖堂の「ピエタ像」がもっとも有名。

32 La fille la moins féministe de la terre…YouTube 公式チャンネルで視聴可。https://www.youtube.com/watch?v=ImRWd4bnuHg

と鼻の部分だけ開いている）に覆われている。上半身が画面に大写しになっている。見えている肌の部分には手書きでメッセージが書かれている。首、手首、手の甲。タトゥー？「あたしは完璧にダメな女で、完璧に服従してる」「男の肌の匂いが好きだし、自分の皮膚にはタトゥーを入れてる」「一人では歩きたくない」「誰かがあたしをつかまえてくれてるのがいい」。だが、リリックはここで反転する。

「でも、あたしにはそういう認識を書く権利がある」「バカどもに投票する権利もある」「売春婦呼ばわりされずに、ミニスカートをはく権利もある」「どっかのバカが、強姦されたがっているんだろう、とか言いながらあたしのスカートの下に手を入れてくるなんて、まっぴら」「もっとスポーツをしてれば、ディスクももっと売れたのに、とか言われなくない」「〈もっと口を慎めば〉とか〈書くのをやめておけば〉とかそんな仮定もゴメンだ」……覆面の女性は、ここで、手書きの紙を画面に向ける。「あたしはあたしの人生を生きる選択をしたい」と書いてある。歌は続く。「あたしはバカだとも言われたくないし、空虚だとも言われたくない」「あたしは売春婦扱いされずに、スカートをはく権利をもちたい」「十年間、必死で勉強したあたしの友達が、男どもより手にするものが少ないなんて」……。ずっと続く。五分を超える大作。レコード会社への呪詛（ミュージシャンの自由を奪う、など）や男ががつがつメシを食っているときに、あたしはソファーでビールを飲みたい、という素朴な願望など、機関銃のように吐く。吐き出す。とまらない。

彼女がつけている仮面があまりに素人っぽい手製のものであることや、背景の音のチープな感じ（音が薄いほうが、メッセージが前景化しやすいとの配慮かもしれない）などが、この曲の役割を鮮明にしていると思う。音源の売り上げばかりを慮って*C、遊園地で寝言を言うようなリリックばかりが蔓延するのであれば、そんな流れに自分は背を向ける。フェミニズムのリリックを書く役割を、この曲の、あの覆面の女性は演じている。それはむろんラ・ピエタというミュージシャン本人とは違う。だが、ラ・ピエタの一部であることは間違いない。クリップに漂う濃厚なカルト感に打ちのめされつつ、不思議なことに、私はこの曲を何度もリピートしている。

そして、思うのだ。あの、郊外に住んで、「お前の豚を晒せ」運動が自分たちには届かないと言っていたガブリエルは、ラ・ピエタやシラの音楽を聴いているだろうか、と。いや、彼女たちのラップは、ガブリエルに届いているだろうか、と。

*C ラ・ピエタはデビューしたレコード会社とかなり「難しい」関係にあったことを幾度も言及している。

アヤ・ナカムラ　愛を歌うラッパー

前項では、二人の女性ラッパーによる、フェミニズムの曲を聴いた。もちろん、フランスの現在の女性ラッパーはこうした大きな流れにあるのだ、という意味ではさらさらない。恋愛に苦しむ女性をラップする歌のほうが主流だろう。この点、どの国でも、どの言語でも大きな違いはない。フランスのラップの世界で、愛にまつわる分野を代表する存在は、いま、Aya Nakamura（以下、アヤ・ナカムラ）だろう。

アヤ・ナカムラが私たちの前に姿を現わしたのは、おそらくシングルの〈Djadja（以下、ジャジャ）[33]〉（2018）の前後だと思われる。耳に残る「ジャジャ」のリフレイン。そして、忘れがたいステージ・ネーム。ただし、日本語名に近い名前は、いかなる意味でも彼女の生まれやルーツと結びついていない。アヤは彼女の本名に近い音であるとしても、ナカムラはアメリカの連続テレビドラマの登場人物から採られていて、日本的な何かを彼女に期待することには無理があろう。そもそも名前が保証する緩い同一性とは無関係にネーミングすることのほうが、圧倒的にカッコいいと思うのだが。

一九九五年、マリの首都バマコに生まれる。本名はアヤ・ココ・ダニオコ。幼少期

33 Djadja…YouTube公式チャンネルで視聴可。
https://www.youtube.com/watch?v=iPGgnzc34tY

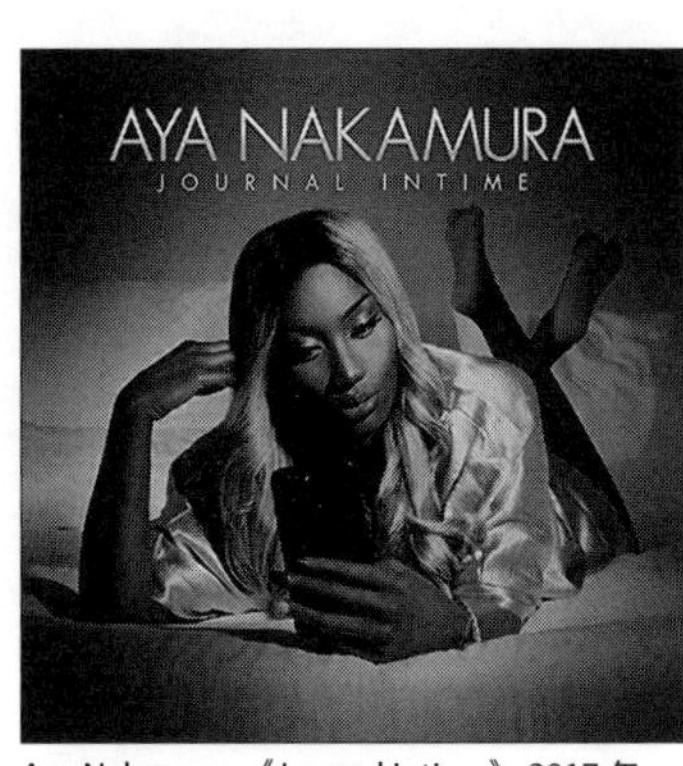

Aya Nakamura 《Journal intime》 2017年

に家族でフランスに移住。パリ北東部のオルネ・ス・ボワで成長する。二〇一四年に初めてのシングル《Karma（カルマ）》をFacebookに発表。続いてズークの影響を受けた曲〈J'ai mal（痛い）〉を発表し、YouTubeで話題に。二〇一五年には、新たなシングル〈Brisé（粉々）〉を、また同年、ラッパーのファバビィをフィーチャーした曲〈Love d'un Voyou（ならず者の愛）〉をリリース。バマコのモビド・ケイタ・スタジアムで初めてのライヴを行う。二〇一七年に初めてのアルバム《Journal intime（日記）》を発表し、プラチナ・ヒットとなる。そして二〇一八年四月、〈ジャジャ〉をシングルとしてリリース、誰もが知る存在となる。青く染めた髪。情感溢れた歌い方。様々な言語を織り込んだリリック。二〇一九年には「ニューヨーク・タイムズ」が、「ヨーロッパでもっとも重要な人物の一人」として紹介、同年、YouTubeでもっとも視聴された「フランス女性アーティスト」と認定される……。

彼女が二〇二一年にリリースしたシングル〈Bobo[34]〉は、こんな歌詞でできている。

34 Bobo…YouTube公式チャンネルで視聴可。https://www.youtube.com/watch?v=3zsPWw2H9PE

愛しいココ、あたしを×××
あたしはお金が欲しい、あたしを傷つけないで
あたしはお金が欲しいだけ、傷つけないで欲しい
お金が欲しい、欲しい

リフレインは身も蓋もない。言葉は少ない。他のパートでは、「あなたは自分のことを気にしていればいい／あなたが甘えたりしてしつこい／あなたといると、あたしは混乱してしまう／だからあなたのことだけ気にしていて」。あるいは「あたしの母船はどこに？／空に触れたいけれど／あたしは怒ってる／あなたが知ってるとおり」。

さらには「あなたはあたしにあなたはあたしにいろいろ言っていたけど、あたしが見たのはその逆のこと／そしてそれが終わったらあたしは出かける／戻らない、あたしは出かける」。

言葉は短く、「あたし」と「あなた」の関係性だけに焦点が当てられている。愛情が歌われる。曲の中心は、音にある。たとえば、右に引用したリフレインは、フランス語では以下――。

Chéri coco, fais-moi mmh, mmh
(mmh, mmh)
J'veux le bifton, pas de bobo (le bifton)
J'veux le bifton, pas de bobo (le bifton)
J'veux le bifton, 'ton (oh yeah)

歌は、意味ではなくて、bifton という俗語（札ビラ、カネ）と、bobo（傷や打撲、痛み）の音の絡みが中心にある。ゆったりとした楽曲のなかで、耳に珍しい音が組み合わされ、それが意味よりも先に脳内に響くように設計されている。流行のラップの現在形を聴いている気持ちになる。政治的「参加」ばかりがラップの機能ではないのと同じように、女性性を歌うことばかりが女性のラッパーの仕事ではない。自分の来歴を語り（エゴ・トリップ）、恋愛の駆け引きを楽しむリリックを女性たちが獲得することも、ラップの重要な役割なのだ。

RUMI　余念なく爪を磨け

フランスには、様々なタイプの女性ラッパーがいる。同じように、日本にもいろいろな女性ラッパーがいる。クラブに行って踊ることの楽しさだけを歌う者もいれば、女性の権利を強く訴える者もいる。そうした女性ラッパーの、日本におけるアーキタイプの一つは、RUMIである。彼女の来歴や作品については、都築響一の労作『ヒップホップの詩人たち』（新潮社、2013）に詳しい。ここではフランスで刊行されている世界の女性ラッパーを取り上げた書籍に、RUMIがどのように紹介されているか、記しておきたい。シルヴァン・ベルトはその著書『Ladies First une anthologie du rap au féminin（レディ・ファースト　女性におけるラップのアンソロジー）』（Le Mot et Le Reste, 2019）のなかでただ一人、日本語ラッパーとしてRUMIを取り上げている。「他の多くの領域においてと同じように、日本は常に音楽に関しても驚くべき国だった」と書き起こした筆は、それでも日本が強いアングロ・サクソンの影響下にラップを作り続けてきたことを述べたのち、RUMIの登場をこう述べている。

MSC[35]やDJバク[36]のようなアンダーグラウンドのアーティストの周辺に、女性ラッパーのRUMI ARAIは姿を現わす。彼女は、アングロ・サクソン的な極と、過剰なまでに実験的な極の、二極の間にいる好例だ。（中略）彼女の二枚目のアルバム《Hell Me Why?》（2007）は、二つの極を最良の形で融合している。日本を代表するビートメイカー（そのなかにはTha Blue Herb[37]のO.N.Oもいる）によってプロデュースされたアルバム

35 MSC…2000年に漢 a.k.a.GAMIをリーダーとして結成、東京都新宿を本拠地に活動するヒップホップグループ。

36 DJバク…DJ、トラックメーカー。高校時代にラッパーのRUMI、般若とともに「般若」を結成。その後ソロとして活躍。

37 Tha Blue Herb…1997年、BOSS THE MCとO.N.Oによって結成されたヒップホップグループ。北海道札幌市を本拠地に活動を展開している。メッセージ性の強いリリックと重厚感のあるトラックが特徴的。

は、あらゆる方向へ向かっている。ループするピアノ音が用いられたり、DJ KOHARUのスクラッチ音がかぶっていたりするが、エレクトロ音楽の様々な系列に由来する音が大量に導入されている。一方で、日本の伝統的なメロディーからもインスパイアされている。それだけではなく、やはりRUMIの、何かにとりつかれたようなテキストが音楽に絡まる。彼女は自分の言語ではっきりと強調している。彼女はオフ・ビートでラップする。（中略）そこにはエネルギーがある。不穏で、悲嘆に暮れていて、メランコリックでもあり、落ち着いたところもあれば、怒りに震える箇所もあり、媚びているところもある。同じ曲のなかでもイントネーションを変えるところもある。あらゆる状況を突破する。あまりに高揚しているせいで、自分の曲のために招待した男性のラッパーたちを支配している。RUMIはこのアルバムのラスト、シングル・カットされた〈CAT Fight !!〉で見事に開花する怒りを証明している。数年後、この怒りは持続する。フクシマの破局のあと、日本の複数のアーティストたちが行った抗議の波に彼女は参加することになる[38]。

RUMIは〈CAT Fight !![39]〉のなかで、こう繰り返している。

CAT Fight　獲物くわえてニャー！

38 引用…Sylvain Bertot, *Ladies First une anthologie du rap au féminin*, Le Mot et Le Reste,2019

39 **CAT Fight !!**…Spotify で視聴可。https://open.spotify.com/track/4D168kEog9yEKrH7gdCBAs?si=cad213d71c714291

CAT Fight　クソなオスにつかまるな
CAT Fight　臆病な子猫ちゃん
毎日毎日爪を磨けよ

余念なく爪を研ぐこと。鋭い爪で自身の身を守ること。様々な攻撃に備えること。アンジェルもシラもラ・ピエタも、あっこゴリラも、そしてRUMIもまた、そう歌っている。日本もフランスもアメリカもない。そんな境界を侵犯して、男どもの作った硬直した制度を作り替えること——彼女たちの声には、そんな波動を感じる。有していると……。私たちのいまとここが、ラップにはある。

第五章

LES IMMIGRÉS

移民たち

ドイツを縦断した鉄道の旅のことはなにも憶えていない。ただ、アルゴイやレッヒフェルトから一歩も出たことがなかったからね、見るものすべてがなじみのない、わけのわからないものに映った。車窓を通りすぎていくいろんな地方、巨大な駅のホールや大都市、ラインライトや、北のだだっぴろい平原や。けれどもブレーマーハーフェンの北ドイツ＝ロド船舶のホール、あれはいまでもくっきり瞼に浮かんでくる。上等の切符を買えない客が群れをなして乗船を待っていた。なかでもはっきり憶えているのは、移民がみんなてんでばらばらにいろんなものを被っていたことだ、フードやら縁なし帽やら、冬の帽子やら夏の帽子やら、ショールやらスカーフやら、そういうなかに船会社の社員や税関吏の制帽がまじって、仲買や周旋屋のすり切れた山高帽も見えていた。

（W・G・ゼーバルト『移民たち』（鈴木久子訳、白水社、二〇〇五年、九〇頁）

発火から翌日（4月16日）になっても燃え続けるノートルダム大聖堂を見つめる人々。（写真提供：Corentinmace / Shutterstock）

ビッグフロ＆オリ　いつかまた

二〇一九年四月十五日のことはよく覚えている。パリのノートルダム大聖堂が火に包まれた日だ[1]。尖塔部分が消失した瞬間、火事の一部始終を見つめていた群衆から悲鳴があがる。焼け落ちる動画は、ＳＮＳで世界中に中継されていた。ある者は顔を覆い、ある者は本当に声をあげて泣いていた。黙したまま、ただ涙にくれる人も。

八百五十年前、四人の建築家が大聖堂を作って以来、ノートルダム大聖堂はパリの歴史を見つめてきた。ナポレオンの戴冠式を行い、ヴィクトル・ユ

1 **ノートルダム大聖堂の火事**…ノートルダム大聖堂（寺院）はパリのシテ島にあるローマ・カトリック教会の聖堂で、ユネスコの世界遺産にも登録されている。2019年4月15日に火災が発生し、尖塔が消失。現在も復旧工事は続いているが、完了までかなりの長期間かかるといわれている。

ゴー[2]の小説で有名な鐘を蔵する。第二次世界大戦ではナチスに占領されたパリが解放されるのを目撃した。南側の美しい薔薇窓、音色に比類ない個性の宿るパイプオルガン、そして聖具室の屋根には蜜蜂。それらが軽微な損傷で済んだことで、パリの人々はほっと胸をなでおろした……。

この日、ノートルダム大聖堂からほど近いライヴ会場では、フランスの人気ラップ・グループ、Bigflo et Oli（ビッグフロ エ オリ）（以下、ビッグフロ＆オリ）が舞台にのぼることになっていた。ノートルダム大聖堂の火災を繰り返し伝える臨時のテレビニュースの最後は、必ずこう結ばれていた。「ノートルダムの火災により、近隣は通行規制されています。なお本日開催予定だったビッグフロ＆オリのライヴは延期になりました」。

ビッグフロ＆オリのライヴは延期になりました、の一節だけが幾度も私の内側に響きわたった。不思議な感懐があった。そうか、ビッグフロ＆オリは、ノ、ー、ト、ル、ダ、ム、ぐ、ら、い、の知名度なのだ、と。もちろん事実は違うのだが、ノートルダムと彼らが同じ告知の言葉のなかで繰り返される異常な事態は、聴く側の高揚した感情とも相俟って、彼らのラップを不思議な高みにまで押しあげていた。ビッグフロ＆オリのライヴを見下ろす、ノートルダム……。

ビッグフロ＆オリは、フロリアンとオルドネスという二人の兄弟からなるデュオ

2 **ヴィクトル・ユゴー**…19世紀フランスロマン主義の小説家。代表作のひとつ『ノートルダム・ド・パリ』（1831）は、ノートルダム大聖堂に棲むせむしの鐘つきカジモドとジプシーの少女エスメラルダが主人公で、1996年にはディズニーアニメ映画にもなった。

である。父がアルゼンチン人、母がフランス人。南フランスのトゥールーズ生まれ。幼少期から音楽教育を受けた。オルドネスはトランペットを、フロリアンはベースとピアノを、それぞれトゥールーズ音楽学校で習得する。父親はサルサを、母親はフランスの音楽（とりわけ、ジャック・ブレル[3]やシャルル・アズナヴール[4]など）を二人の子どもにたくさん聴かせた、という。

二人が初めてラップのクリップをYouTubeにアップするのは、二〇〇五年のこと。誰も知らない二人のラップは四百回しか視聴されなかった。二人はトゥールーズへの愛情を込めた楽曲を作り、ラップ・バトルに出場、少しずつ知名度を高めていく。二〇一一年ごろには、セクション・ダソー[5]やオレルサン[6]、IAM[7]といったラップ界の大御所と同じライヴに出演する（この間の経緯は不明だ）。

第20回NRJミュージック・アウォードに登場した際のBigflo et Oli（写真提供：ABACA/ニューズコム/共同通信イメージズ）

3 **ジャック・ブレル**…ベルギーで生まれ、フランスで活躍したシャンソン歌手。1953年にデビューし、〈過ぎ去りし恋〉〈行かないで〉などヒットを飛ばした。1978年死去。

4 **シャルル・アズナヴール**…詳細はp.120の注釈18を参照。

5 **セクション・ダソー**…詳細はp.313を参照。

6 **オレルサン**…詳細はp.137を参照。

7 **IAM**…詳細はp.24を参照。

EPを除くディスコグラフィは、二〇一五年に《La cour des grands（ビッグリーグ）》、二〇一七年に《La Vraie Vie（本物の生活）》、二〇一八年に《La Vie de rêve（夢の生活）》をリリース。とりわけ二枚目と三枚目のアルバムは驚異的なセールスを記録した。彼らはよく夢のようだ、と口にする。実感かもしれない。二〇一五年にリリースしたファースト・アルバムから二、三年の間に彼らは突然スターダムまで駆け上がったのだから。だが彼らの楽曲は、じつは誰にとっても心地よい音楽ではない。もっと言えば、彼らの音楽のうちの幾つかは、移民について歌っている。その代表的な曲は《夢の生活》に収められている〈Rentrez chez vous[8]〉、意味は「お前の家に帰れ」である。

やってしまった、奴らはエッフェル塔を吹っ飛ばした
まさかやるとは思ってなかったが、時すでに遅し
どうやってそこまでたどり着けたのか？　信じられない
夜は静かだった、奴らは三回、爆弾を落とした
彼女に会うために、俺はパリにやってきたのに
戦争が俺たちの首を抑えていて、俺たちはルーティーンから出てしまった
花は涙に替わり、呟きは叫びに取り替えられた
建物は壊れ、粉々になった

8 Rentrez chez vous…YouTube 公式チャンネルで視聴可。https://www.youtube.com/watch?v=gm328Z0JKjA

俺は手ぶらで家に戻ることになるだろう
始発で家族と再会することになるだろう
出発は明日の朝
人間は最良と最悪の狂気を操ることができる
俺がオリの知らせを受け取るまで、四日かかった……

〈お前の家に帰れ〉はこうして始まる。どうか、この曲のヴィデオクリップをYouTubeで観て欲しい。リリックが描く近未来（たぶん）のパリは、エッフェル塔に爆弾がぶち込まれ、ぽっきりと折れている。そうしたアニメーションが曲にあわせて製作されている。エッフェル塔が折れている姿は、彼らのパリでのライヴ当日の、ノートルダム大聖堂の火事による尖塔消失を思わせる。むろん、このクリップのアニメのほうが現実の事件よりも早い。私はこの曲の動画に時系列さえ無視したくなるような、強い衝撃を受けた。

淡々としたラップはしかし、主人公二人（歌のなかでは、フロとオリと呼ばれている。彼らが交互に語る形式）が苦難のうちに自身の「家」を目指す姿が描かれる。やや散文的な説明になるが、彼らのリリックを追いかけてみよう。

「くそったれ、戦争だ！」とフロは言う。自分の家に戻ることを考えるけれど、道は寸断されて、乗ったバスは定員オーヴァーのすし詰め状態。ようやく降りて「フェリーのチケットを四枚」ゲットする。「地中海の向こう側」での新しい生活を夢想しつつも、オリはフロについて新しい情報が入ってこないことに気を揉んでいる。

一方、フロは列車に乗り込んだ。ノロノロ走っては止まる、の繰り返し。吐き気がする。「六時間で行くところが二日かかった」。マルセイユの港で家族が再会することを願いながら、道に倒れている少女と短く会話する。「君は一人きりなの？」と聞く。両親が（埋葬用の）白い布に包まれているのを見た、と言う。「人間には最良と最悪の狂気が可能なのだ」、というバースが再び挟まれる。フロは六日かかって、ようやくマルセイユに到着する。

オリのほうは、マルセイユにいる。街は大きく変貌している。メトロは「死体を並べる大きな部屋」になり、映画館は病院になっている。港には突然フェリーが現れて、席を争って、殺し合いも起こっている。オリはその風景を見ながら、「ここにいたくない、別の場所にいたいんだ」と思う。

フロはオリたちとは別にマルセイユに着いた。もうみんな出発していた。一人、ぎゅうぎゅう詰めの船に乗る。小さな女の子がフロの腕をとる。だが乗船するなら「女の子か荷物か」選べ、と言われる。フロは荷物を空にして彼女を船に乗せる。そこへ嵐がやってくる。船は縦揺れを繰り返し、「獣の腹」のようになった海に落ちる者が続出する。女の子も落下してしまう。「雨が、潮が、涙が」混じり合って、助けを求める人たちの声は大波にかき消されてしまう。

ようやく船が接岸する。ここはいったいどこだ？ 最初に見たのは「有刺鉄線」。防護服に身を包んだ男が、武器を構えている。「俺たちが話していない言語で、俺たちは紙にサインをさせられた」。「動物みたいに集められて、消毒された」。臨時に設営された場所に集められた。マットレスだけが敷いてある。一人のニース出身者が、もう何か月もここにいるんだ、と説明してくれた。「トゥールーズはもう遥か彼方だ、母親が俺の腕のなかで眠っている」。オリは家族と一緒だ。母親は「フロも合流するでしょう」と何度も小声で言う。わからない。暑さで息も詰まりそうだ。どの瓶の水も飲みつくした。エッフェル塔が吹き飛ばされたことを新聞で知る。

翌日、オリたち家族はバスに詰めこまれた。バスの外には群衆がいる。数百人規模だ。彼らはバスに並走するようについてきて、口々に叫んでいる。拳を振りあげる。本当に怖い。群衆のなかの男が掲げているプラカードには「お前の家に帰れ」と書いてある。以下、リリックをそのまま訳す。

残念だけど、フランス人を全員受け入れることはできない

フランス人は凄い数で到着する
もしほんのちょっとでも名誉があるなら
自分の国に戻るべきだろう、フランスのために戦うだろう
家族と名誉を守るために戦うだろう
申し訳ないけど、そういうもんなんだ
俺たちはナント〔フランス西部の都市〕からやってきた、すべて壊れた
ナントではすべてが壊された、残ったものは何もない
そこにはすべてがあったというのに、みんな、なくなった

ああ、何をすべきか、どこに行くべきか、わからない
俺は家族を亡くした
今日、俺たちの国が直面している問題のほとんどは
フランスの失敗に由来する
ごめんな、奴らが俺たちの家にやって来るまで、
すべてが順調だったんだ
もう受け入れることなんか、できない
俺たちの家に、大騒ぎをしにやってくる連中を受け入れることはできない

事態は転倒している。エッフェル塔が壊され、フランスに住めなくなった人々はフランスを離れ、嵐の海の向こう側に「家」を求めようとしている。だが彼の地の人々は、大挙してやってくるフランス人を受け入れることができない、と言う。フランスのせいで毀損された部分がこんなにたくさんあるのに、フランスが危機に瀕したからといって、フランスからの移民を無尽蔵に受け入れるわけにはいかない、だから「お前の家に帰れ」。

どんな事情があろうとも「お前」の生まれた「国=家」に帰れ、というのは、排外主義である。排外主義者たちはそうやって自分のアイデンティティを守ろうとする。かつてフランスには「栄光の三十年」などと呼ばれる時代があった(全面的にこの呼称に賛成しているわけではない)。第二次世界大戦が終わってから七〇年代までのおよそ三十年間をそう呼ぶことがあるのだが、この時期のフランスは移民に対して緩い規制しかしていなかった。だがオイルショック以後、移民への規制は徐々に厳しさを増す。移民を安価な労働力と見做すだけで事足りていた社会認識は破綻する。労働力としてやってきた人々は定住し、二世として生まれた子どもたちは「フランス人」となった。堂々と権利を主張できる。しかし、人種差別主義者は、彼らに対する排外主義をやめない。「お前」の「家」とやらに帰れ、と繰り返してきたのだ。

ビッグフロ&オリは、この曲のなかでそうした歴史的経緯を逆転させている。フランス人が移民として地中海（たぶん）を逆に渡ることになったら？ そのときこれまでのしっぺ返しが起こったら？ 移民と移民規制、排外主義、人種差別、いわれなき長期拘留による人権侵害などが、フランスにかぎらずどこにでも起こり得ることをはっきりと示している。

私はこのクリップを講義でときどき学生に見せる。なかにはフランス語を一切理解しない学生も混じっている。しかしその学生が「理解」しないかといえば、そんなことはない。なるほど、細かいニュアンスは伝わらないかもしれないが、フランス人全体が移民として海を渡ろうとして、排外主義の餌食になる、という構図ははっきりと伝わる。アニメーションの力を再認識する瞬間でもある[*A]。

さらに言えば、この曲〈お前の家に帰れ〉はこの曲単体で成立しているのではない。このことも付け加えておかなければならない。同じアルバム《夢の生活》には、もう一曲、〈Bienvenue chez moi（ビアンヴニュ シェ モワ）（俺の家にようこそ）[9]〉というひたすら歓待だけを歌った曲も入っている。〈お前の家に帰れ〉の排外主義と、〈俺の家にようこそ〉の無条件の歓待とが同じアルバムのなかで、まるで互いの毒を消し合うように、並んでいるのだ。素晴らしいと思う。

***A** 同様のことは、たとえばダフト・パンクのアルバム『ディスカヴァリー』（2001）のミュージック・ヴィデオがアルバムまるごと松本零士のアニメーションでできていた事態を想起させる。フランス語も日本語もないアニメーションの世界は、しかし明確な物語を持って構築されていた。『インターステラ5555』（2003）を参照のこと。

9 Bienvenue chez moi…YouTube 公式チャンネルで視聴可。https://www.youtube.com/watch?v=PTJLmBfG8yc

俺の家へようこそ
お前にボルドーについて話したっけ？（いや）
橋のうえで、カヌレ[10]**みたいな体形の若い娘に声をかけるのが**
俺は好きなんだ
飛行機の窓から、葡萄畑が広がっているのを見たぜ
鏡よ、水の鏡[11]**よ、もっとも美しいのは誰だか教えてくれ**

こんな感じで、フランスの都市を駆け足でめぐる、という歌なのだが、なかなか皮肉が効いている。たとえば「サン・テティエンヌ」。

俺はサン・テティエンヌに行った、ちょっと一息つきに（そう）
着たくもない緑のユニフォームを嫌々着せられた（くそっ）
俺は、マルティィル通り〔**殉教者通り**〕**で、地元のダチとグダグダして過ごした**
そこで言われたのは「リヨン（何？）、**バカしかいないよ**（いや、違うって）」

右の箇所で、どうしてサッカーのユニフォームを着せられたのかといえば、サン・テティエンヌはフランス・サッカーの世界では有名な「古豪」で、嘗ては有名選手を

10　カヌレ…ボルドーの修道院が発祥の菓子。正式名はカヌレ・ド・ボルドー。寸胴な形をしている。
11　水の鏡（miroir d'eau）…ボルドーのブルス広場にある有名な観光スポット。

たくさん擁したチームだった。チームカラーが緑で、「レ・ヴェール」（フランス語で緑）の愛称で親しまれたからだ。それが今は成績の面でパッとしないから「嫌な古着のような」ユニと表現されている。最終行、リヨンに対する対抗心がサン・テティエンヌにはある。

俺の家にようこそ
君が大きな街の出身であれ、小さな村の出身であれ、
これを見なくちゃならない（ああ、ああ）
とっても美しい女の子たち、とびきり素晴らしい風景を
俺の家を一周してきなよ
俺の家を一通り、めぐってきてくれ
俺の家をぐるっと一回りしてきてくれ

「俺の家」はもちろんフランスだ。そしてベルギー、スイスも。美味しいものも絶景もある。サッカーも必ず観て欲しい。ようこそ、フランスへ。前出の〈お前の家に帰れ〉の排外主義を補って、この歌は聴かれるべきと思う。

ビッグフロ＆オリを観ることはできる。YouTubeには動画が溢れているし、各種

サブスクでも音源を確認することができる。たとえば、Netflixでは彼らのドキュメンタリー映画が配信中だ。『ビッグフロー&オリー：フレンチ・ヒップホップ界の彗星』(2020) がタイトル。わずか数年で考えられないほどの成功を手中に収めたヒップホップ・デュオの、ライヴや日常生活の舞台裏に密着した映画だが、彼らが様々な場所でライヴをする様子が映し出される。緊張しながらライヴの準備をする様子や、アメリカでのツアー、ファンとの交流も。飾らない姿を確認することができる。ただ、ライヴ映画ではないので、歌をまるまる一曲、撮影している場面がない。ライヴで彼らが曲の合間に飛び跳ね、歓びに咽び、疲れを知らない子どものように、移動に移動を重ねていく姿ばかりが映し出される。曲作りの苦労も、音楽が自分のものでなくなっていくような煩悶も、あるいは、〈お前の家に帰れ〉という曲のリリックが持っている排外主義について、どのように考えてああいう画像になったのか、誰も質問しない。気にしない。楽しいだけの映画になっている。そこがちょっと残念。そして、映画の最後で、オリが活動を休止することが発表される。兄弟デュオは、二〇二二年現在、活動を休止中。今度は、日本でのライヴを期待したい。

彼らの公式ウェブサイト[12]には、A bientôt（アビアントー）（ではまた、近いうちに）と大きく書かれてある。なんだかもうすぐ動き出しそうな気も。

12 Bigflo et Oli の公式ウェブサイト…http://bigfloetoli.com/

ギムス　もっとも成功したラッパー

Gims（以下、ギムス。Maître Gims（メイトル ギムス）と呼ばれることもある）はもっとも成功したラッパーだ。今後、フランスのラップ界にはいろんな人材が登場すると思うけれど、現時点でもっとも人を集めることができるラッパーは、間違いなくギムスである。Netflixで配信中の彼のドキュメンタリー映画『ギムス：ラッパーの素顔』（2020）では、パリ近郊のサッカー専用スタジアム、スタッド・ド・フランスでライヴを行う様子が活写されている。サイズが違うのだ。八万人も収容できるスタジアムを単独でいっぱいにできる人気と実力は、本当にかぎられた者にしか与えられていない。そのうちの一人が彼なのだ。

ギムス（本名ガンジー・デュナ）は、一九八六年にザイール（現在のコンゴ共和国）のキンシャサに生まれている。音楽一家の出身だ。父親はパパ・ウェンバ[13]のグループの歌手だった。ギムスがフランスにやってくるのは、一九八八年、二歳のとき。両親は「かなり難しい」問題を抱えていたせいで、ギムスは十八歳になるまでホスト・ファミリーのもとで暮らす。その家族には十四人の兄弟姉妹がいて、なかの三人はギ

13 **パパ・ウェンバ**…1949年コンゴ（当時はベルギー領コンゴ）生まれ。ルンバ・ロックというジャンルの創立者で、1980年代にはアフリカ音楽の世界的アーティストとして活躍。アルバム『パパ・ウェンバ』（1988）は世界的なヒットとなった。

ムスのアルバムでバックコーラスを担当したこともある。

二〇〇二年、ギムスはヒップホップ・コレクティヴのSexion d'Assaut（以下、セクション・ダソー）に加わる。八人のラッパーを擁する大所帯で、インディペンデント・レコード・レーベルの「Wati B」と契約した。二〇〇五年ごろからグループは本格始動しているが、とにかく多くのラッパーがやってきては入れ替わり立ち替わり、マイクを握った。彼らがデビュー・アルバム《L'Ecole（レコール）des（デ）points（ポワン）vitaux（ヴィトー）（以下、重要ポイントの教え）》をリリースするのは二〇一〇年になっていた……。

映画『ギムス：ラッパーの素顔』には、このあたりまでの彼の人生はむろん描かれていない。だが回顧するシーンがある……。誰もいなくなったパリの路上で、いつもかけているサングラスの内側に過去の自分が浮かんでいたのか……。二歳の彼がフランスにやってきたのは事実だが、父親は彼ら兄弟を捨てた。子どもたちは児童養護施設で育つが、ふとしたきっかけで彼らはストリート・チルドレンになる。シャワーもなく、もちろん住むところもなかった。バケツの水で身体を洗う生活。深夜のパリ。周りにいるのはジャンキーばかり……。そんなことを回顧しながらギムスは語る。誰も歩いていない。上下スウェットのラフな格好。通りを見つめるギムスの表情はうかがえない。だが、「ここが通学路だった」と言いながら辺りを見回す彼は、徐々に言葉少なになっていく。パリでの暮らしを思い出している。セクション・ダソーに加入したあとも、生活は苦しかった。家は相変わらずなかった。「家に帰る」とセクション・ダソーの他のメンバーに語っては、ひとり、パリの街をほっつき歩いた。「メトロが寝床だった」とギムス。終着駅に着くとそこで降りる。そこで寝る。そしてまた乗る。仕方ないよ、とギムスは言う。家族の絆は大切だ、だから父に捨てられたことは、つらくなるから考えないようにしている、とも。本当につらい。C'est vraiment difficile(本当につらい)、と繰り返し、言う。

　サングラスをはずし、彼とわからないはずの恰好で街に出ても、いまギムスが街を歩けば、数百人の人間がスマホを片手に追いかけてくる。集まる。気楽にシャッターを押す。だから深夜しかドキュメンタリーの撮影はできない。彼の育った界隈には、いま、誰もいない。

　キンシャサに行った。二歳までしかいなかった故郷。記憶はもちろんないに等しい。でもここが「原点」だと思うしかなかった。そう思うと妙な気がする、とギムスが映画のなかで語っている。俺と同じ人種、同じ民族だと思うと、少し奇妙だ、と。ライヴをキンシャサでやる、と宣言する。

*

ド派手な衣装に身を包んで、ステージで歌うギムスがいる。スティング[14]との共演は、二〇一九年のことだった。Gims & Sting の名前で〈Reste（レスト）[15]〉という曲を作った。スティングがギムスを絶賛する。アフリカン・ポップとヨーロッパのオペラニックを併せもっている、と、彼の声を讃える。ギムスは「歌手」として称賛されているのだ。

ギムスは自分で自分を定義しない。着ているトレーナーの胸に大きく「I AM NOT A RAPPER」と書いてある。自慢の声で歌う、歌手なのだろうな、と思う。ただ一度のステージで二度はラップじゃないと、とも言う。ラップする機会をうかがってい

「I AM NOT A RAPPER」と書かれたこのスウェットは Gims デザインによるもの。
（写真提供 :Bertrand Rindoff Petroff/Getty Images）

14 スティング…イギリスのシンガーソングライター。1977 年にバンド「ポリス」を結成し、ボーカルとベースを務めた（1984 年に活動停止）。その後ソロ活動を開始し、アルバム『Brand new day』（1999）はグラミー賞 2 部門を受賞。2002 年のソルトレイクシティ冬季オリンピックのオープニングにも登場するなど世界的に活躍している。

15 Reste…YouTube 公式チャンネルで視聴可。https://www.youtube.com/watch?v=0Ev-6PY-tl34

る。ギムスはその二つを截然と分けている。ラッパーとして作る歌と、魅力的な声で歌い上げる曲を分けているのだ。

映画の途中で、彼がリリックを書いたラップの曲が披露される。《Ceinture noire（黒いベルト）》（2018）というアルバムに入っている〈Loup Garou（人狼）[16]〉という曲。とにかく、この曲が凄まじい。聴いてもらう以外に、どうすればこの曲の卓越を伝えることができるのか。ラッパーのソフィアヌをフィーチャーしたこの曲は、四十五分ほどでできた、と映画の中で作曲者が言明している。ギムスと二人で作った、本当に短い時間でできた、と。即興に近い言葉の掃射。フリースタイルに近い。ラップすることで解放される何かがあるのかもしれない。ヒット曲を出し続けなければならない、という使命は、ギムスにプレッシャーをかける。アルバムの発売週はひどく不機嫌になる、とギムスの妻が打ち明ける。ショウビズ界の非情については、何度もギムスの口から言葉が出てくる。

セクション・ダソーはヒットを飛ばす。二〇一〇年にリリースされた《重要ポイントの教え》は、フランスのアルバム・チャートで二位、ベルギーでも五位にランクイン。大成功を遂げる。四〇万枚近い売り上げを記録した。シングルの〈Désolé（ごめん）[17]〉は大ヒット。もともとはギムスの携帯に断片として録音してあったフレーズ

16 Loup Garou…YouTube 公式チャンネルで視聴可。https://www.youtube.com/watch?v=Rter-Np-Td0

17 Désolé…YouTube 公式チャンネルで視聴可。https://www.youtube.com/watch?v=NLAbYWKwrfk

を一曲にまとめあげたもの。グループは変貌を遂げる。私は、おそらく大多数のフランス人と同じく、この曲でセクション・ダソーを知った。青年期の少年の心をナイーヴに歌うギムス。歌の随所に配されたラップ（これはギムスが担当していない）。彼の高音の魅力が存分に発揮されている。

俺は出かけて、一人になりたかった
ママ、なんて言ったらいいか、ごめんよ
カウンセラーは俺のことなんかきれいさっぱり無視した
それでOKだとバカみたいに俺は言った
毎日、やめることを考える
人々は俺をなんだか空想のものに仕立てたがっている
すべてを捨てるつもり
俺は一人の人間に過ぎないし、死んだら終わり

このあとのリリックにはもう少しはっきりと、「パリはまるでアルカトラズだ」とか、「罰金や無駄な書類の山なんてもううんざり」とか、日常に倦んだ言葉も出てくるのだが、右のリリックには、この世に別れを告げたがっている青年の心情が（あま

り露骨ではないかたちで）表明されている。正直な感想を言えば、ここまで本書に引用し検討してきた様々なラッパーのリリックに比べれば、思想性においても文学性においても、抜きんでた作品とは言えない。たとえば、自殺して終わり、という主題ならば、オレルサンの〈Suicide Social（社会的な自殺）[18]〉を想起してもいい。オレルサンの、あの偽悪的かつパフォーマティヴなリリックほどの魅力はない。では、ギムスの何が私たちをこんなに熱狂させるのか。不思議な感覚に捉われながら、『ギムス：ラッパーの素顔』の後半を観る。

*

ドキュメンタリーの後半で、ギムスはツアーを行う。最終目的地は、スタッド・ド・フランス。一九九八年のフランス・ワールドカップのために作られた巨大な「箱」だ。だが、そこにいたるまでのプロセスで、ギムスは徐々に現在の自分、等身大の自分を語る。ライヴを終えたあと、機材を積んだトラックのなかに自分だけの空間を設え、曲を作る。リリックを紡ぎ出す。

ふいに自分の言葉について語る。リリックに描かれている男性像や父親像は、信じているイスラム教に馴染むものだ。穏健だが敬虔なイスラム教徒であることを、ギム

18 Suicide Social…詳細は p.149 を参照。

19 ジャマアト・タブリーグ…『マレーシア研究』10 号の塩崎悠輝の文章によれば、タブリーグ・ジャマアトは、1926 年にインド北部で結成され、南アジアで最も盛んなイスラム教の団体。全世界で 4000 万人前後が参加しているとみなされる。ただし組織というより運動というべき形態で、定期的に集会を行う以外に特段に大きな活動は見られない。政治活動はほぼ行っておらず、政治や経済に関連する問題には関心を示さない。ムスリム社会の外にも関心がないので、外部世界への発信が少ない。

スは語る。「よく言われているように、俺たちの歌詞は人を傷つけない。それは人格的な問題ではなくて、信仰心の問題なのだ」と。信仰心ゆえに他人を罵倒する言葉を使えない。間違った方向に行くと、信仰が正してくれる。セクション・ダソーのころは、ラマダンをしていた。もっていたのは純粋な信仰心だった、とも語る。あの純粋さは過激派に吸収されてもおかしくなかった。

二〇〇五年、ジャマアト・タブリーグ[19]に加入した。もともとはキリスト教徒だったが二〇〇四年に改宗していた。しかし音楽活動の中止を強いられて、団体を去る。去らざるを得なかった。ギムスはそこで少なくない人たちと知り合う。彼らはむろんギムスとは別の人生を歩んだ。さらに過激な思想へと傾斜し、イラクへ行った者もいた。彼はそこで命を落とした。ぞっとした。死ぬのは自分だったかもしれない、とギムスは思う。

二〇一四年、モロッコに移住した。イスラム教の国だから文化的に馴染むという点が一番の理由だった。モロッコで楽しそうに遊ぶ、ギムスたち親子。だが二〇一八年十二月、モロッコのマラケシュで観光客がＩＳＩＳ[20]の男に殺されるテロ事件が起こる。ギムスは衝撃を受ける。翌週、マラケシュでライヴがあった。話さずにはいられなかった。「いま起きていることにはまったく賛同できない。今夜、マラケシュに居られてうれしい。ただ、こんな状況を許してはいけない。俺はイスラム教徒だが、

20 ISIS…イラク、シリア発のイスラム過激派組織。ISIL、IS とも呼ばれる。2013 年にイラクに侵攻し建国を宣言、その後も戦闘により勢力を拡大した。他国から国家の承認は得られておらず、全世界のほぼすべての国と敵対している。プロパガンダに長け、兵士のほぼ半数が各国から集まった外国人戦闘員ともいわれている。現在も存在するが、支配領域を喪失しており事実上壊滅状態にある。

テロリストではない。無関係だ。この場にいる皆に感謝している」。短いが、断固とした調子で、ギムスは聴衆に語る。

この場面を見ていて、少しわかった気がした。ギムスのリリックがどこまで読んでも攻撃的にならない理由が。他人を罵倒しない。断罪しない。自分はこうだ、と語る。だが、それ以上に踏み込まない。むろんそれはイスラム教のせいだろう。だがイスラム教徒のラッパーはギムスだけではない。ギムスのリリックが攻撃の矛を収めているのはギムス個人の信仰心に由来すると考えるのが妥当だろう。

もう一つ、このドキュメンタリー映画の後半部分で印象的な箇所がある。ギムスは約束していたコンゴのキンシャサでのライヴを行う。コンゴでの初ライヴ。自分の故郷でのソロ・ライヴは初めてのことだった。舞台のソデでコンゴの国旗を広げ、右肩にかけて登場する。ライヴは予告通り無料で行われる。ギムスは歌い始める。

この場面を見ながら、私はちょっと複雑な思いを抱いた。たとえば、１１３[21]のことを考えた。自分たちはパリのシテに住みながら、ときどき北アフリカの村に帰る、という暮らしをしていた。そこには現在と過去が混在していて、その混在ぶりをそのまま歌うことで、二つの存在は歌に共存していた。だがいま、ギムスにとってのキンシャサは、ノスタルジーの対象としての故郷というだけではない。金を儲けて、そのなかからかなりの金額を還元すべき対象として、キンシャサはあるのだ。稼いだ金を

21 113…詳細は p.32 を参照。

みんなに還元すべきだ、と言ってくる人は少なくない。単純な回顧を過ぎたところに、ギムスはいる。政治的なスタンスも要求されるだろう。それを掻いくぐる狡賢さも要るはずだ……。ギムスの両親も舞台に姿をみせる。歌うのは、この年、もっともヒットした曲、〈Sapés comme jamais(サペコムジャメ)[22]〉(2015) だ。「バッチリ着飾って」という意味だ。しかし、どうしてこの曲なのか?

お前のドアを壊して、押し入るゲシュタポ
俺はお前を見つけ出すから、とコロンボが言ってくる
奴らは殺したいのかもしれない、
ギュスタボ[23]流に何トンも売り捌きたいんだ
無糖のコーヒーを、俺は背中にたくさん背負ってる
ああ、そうさ、おチビちゃん、金がハンサムを創り出す
コンボを繰り出して六年も経っているぜ
俺はいま、メロディを操っている、ワラウィ・ワラノ
お前は、これが陰謀じゃないかと疑っている

サビはこうだ。

22 Sapés comme jamais…YouTube 公式チャンネルで視聴可。https://www.youtube.com/watch?v=4bPGxLxogvw

23 ギュスタボ…コロンビアの敏腕麻薬密売人、ギュスタボ・ガヴリアのことを言っていると思われる(ラッパー Hooss の〈A la Gustavo〉という曲がある)。

手を挙げろ、手を挙げろ
バルマンを着てない奴
バルマン、バルマン
アラジンみたいなハーレム・パンツ

繰り返し。「バルマン」は、ピエール・バルマンという高級ブランドの固有名。リフレインでもブランドの名前が出てくる。「パリは本当にマ・マ・マ・マジックだから」のあと……。

バッチリ着飾って
ガッツリ着飾って
バッチリ着飾って
ガッツリ着飾って
ルル・エ・ブタン
ルル・エ・ブタン（ブタン・ナ・ブタン）
ココ・ナ・シャネル（ココ）
ココ・ナ・シャネル（ココ・シャネル）

「ルブタン」「ココ・シャネル」もブランド名であるかぎりで、私はこのリリックが単にふざけているだけだと思っていた。ブランドの固有名に特徴的な音が面白いだけ、というか。日本の川崎出身のヒップホップ・グループBAD HOP(バッドホップ)[24]に〈Asian Doll[25]〉(2017)という曲があって、中に出てくる「君」が「シャネル」「ルブタン」「バレンシアガ」「プラダ」を欲しがるから、いくら稼いでもぜんぜん足らない、と愚痴る箇所がある。ギムスのこの曲との共通点の多さに驚く。ちなみにこの〈バッチリ着飾って〉は二〇一五年の楽曲だ。つまり、世界じゅうに伝播した、ある種のラップに共通する、ブランド名を並べて音の響きを楽しもうとする発想を、ギムスも用いているのだ、と思っていた。

だが、違った。ブランド名はそれだけで曲に現れているのではなかったのだ。キンシャサでのライヴで、もっとも盛り上がるシーンで歌われるこの歌には、ブランド名のリフレインの直後、リンガラ語が挟まっている。ラッパーのNiska(以下、ニスカ)が歌う。ただ、リンガラ語で何が歌われているのか、私にはわからない。理解できない言語に混じって、「俺はコンゴ人だ、お前は俺が言いたいことがわかるだろ?」というフランス語のフレーズが挟まれる。会場は沸騰する。「バッチリ着飾って」。フランス語をカタカナで書けば「サペ・コム・ジャメ」。サペ・コム・ジャメ。ルル・エ・ブタン。あれがコンゴの音楽なんだ、とギムスの弟が映画のなかで証言する。あれこ

24 **BAD HOP**…神奈川県川崎市出身、幼馴染み8人によって結成された大人気ヒップホップグループ。

25 **Asian Doll**…YouTube公式チャンネルで視聴可。https://www.youtube.com/watch?v=CgajJAYJv5o

そ、コンゴの伝統に則っている。音楽のなかにブランドとリンガラ語が登場する作詞法こそ、コンゴ音楽そのものなのだ、と。

それともう一つ。「サプール」と呼ばれるコンゴ独自の文化のこともあわせて想起される。サプールは、着飾った男たちの文化。内戦や植民地間の戦争に蹂躙された土地で芽吹いた、派手な原色の服をおしゃれに決める文化は、「服が汚れるから戦争をしない」という明確なメッセージを含んでいる。ギムスの曲はむろんその文化の、具体的な表現になっていたのだ。

映画は、スタッド・ド・フランスでの大団円に向かって加速していく。ラストシーンで涙を見せるギムスに拍手を惜しむつもりはないが、私はどうしても、彼のライヴの頂点が〈バッチリ着飾って〉に思えてしまう。この曲が象徴するドキュメンタリー映画は、ギムスがすべてを持ち合わせていることを示している。幼年期の貧困、ストリート・チルドレンの苦難、移民として舐めた辛酸。信じられない成功。セレブリティへの階段。自家用ジェット。イスラム教徒。コンゴの伝統音楽への愛情。そして、圧倒的なフリースタイルのラップ。その力。ギムスは、フランスでラップすることのすべてを体現しているのだ。「アメリカは狙っていない。今いる場所で歌い続ける」。遠くの夜景を眺めながらギムスはそうポツリと口にする。

ガエル・ファイユ　小さな国で

どれくらいの人がブルンジ共和国という小さな国のことを知っているだろうか。

タンガニーカという名の大きな湖と南部で接し、隣接する国は、コンゴ民主共和国（旧ザイール）やルワンダ、タンザニア。九〇年代には大きな戦争や民族紛争を経験した国々（コンゴ戦争やルワンダ内戦）と地続きであるという事実からも、ブルンジの運命は容易に想像される。ブルンジでも、多数派のフツと少数派のツチの間での民族対立が歴史的に続いていて、それが、一九九三年の複数政党制下での大統領選挙で一気に噴出、クーデター未遂事件からついには大統領の暗殺へと事態が深刻化した。結果、その秋からは「ブルンジ内戦」と呼ばれるまでに状況は悪化し、戦争は十五年間続く。三十万人の命が失われ、七十万人以上が難民となった。

Gaël Faye（以下、ガエル・ファイユ）は、一九八二年にそのブルンジで生まれている。父親はフランス人で、母親がツチのルワンダ難民。一九九五年には、一家は内戦を逃れるように、フランスに移住している。ガエル少年は、十三歳だった。ヴェルサイユの高校で勉強し、経営学の修士号を取得する。その後、ロンドンの投資ファンドで二

コロナ渦のトゥールーズで行われた初の音楽イベントに登場したGaël Faye
（写真提供 :Batard Patrick/ABACA ／共同通信イメージズ）

年間働いて、仕事を辞める。フランスへ戻ってきてからは音楽と書くことへ力を注ぐ……。

最初の音楽的活動は、二〇〇九年に「ミルク・コーヒー・アンド・シュガー」というデュオを結成した。小さな成功。ソロの音源をアルバムの形で準備できたとき、ガエルは三十歳になっていた。コンゴのルンバと、ジャズ・ソウルのエッセンスを少々加え、ラップの部分をもっとも鮮明にした音楽を作った。彼自身のカメレオンみたいな多面的な生き方をやめて、いろんなジャンルを混ぜることの紋切型を避けるためでもあった。「苦しみに満ちた言葉を運ぶ人」という評価を受ける。

アルバムのタイトルは《Pili-pili sur un croissant au beurre（ピリピリ シュル アン クロワサン オー ブール）》（2013）。訳せば「バターのクロワッサンにピリピリ」という感じか。フランスのモータウン・レコーズから発売されたこのアルバムには〈Petit Pays（プティ ペイ）（以下、小さな国）26〉という曲が収録されている。いつもヴィデオ・クリップを観ながら聴く。ブルンジが映っている。冒頭、キニヤルワンダ語（と思しき）で歌われるパートがある。「小さな国／わたしたちが死んだとき、あなたは失われました／悲惨なのは私のほう／小さな国」という意味らしい。グーグル翻訳を通しただけだが。小さな国、とルワンダ語で歌う人が美しい風景のなかにいる。ガエル・ファイユ本人が彼らとは別に画面に登場し、フランス語で歌い始める。

一本の鉛筆と一枚の紙が不眠の錯乱を癒してくれる
大きな湖のあるアフリカの小さな国、亡命して遠ざかる
戦争の前の、以前の生活を思い出す
汗水たらして働いて、本国に帰ることもなく、
俺の感覚を呼び覚ます
小さな国よ、君にこの葉書を送る
我が薔薇、我が花びら、我がクリスタル、生まれた土地
ブーゲンビリアの庭、ずいぶんと時間が経った

26 Petit Pays…YouTube 公式チャンネルで視聴可。
https://www.youtube.com/watch?v=XTF2pwr-8IYk

折った本の埃のなかに、閉じ込められた思い出の数々
太陽のしたで、鉄の屋根がキラキラと輝く
農夫たちは大地を開墾し、小枝に火をつける
見てくれ、俺はうまく生活を始めた
同じような生活をもう一度できればな
でも君はそれがどうなっているか、知っている
そして俺たちはサン=ドニの通りで道に迷った
老人になっちまう前に、ギセニ[27]に暮らしに行く
火山の轟きみたいに、俺たちも大地を揺らすだろう
そのとき、小さな国よ、戦火を遠く離れて、いつ飛びたつのか？

最初からずっと同じトーンだ。一言でいえば郷愁。いまは離れてしまった「小さな国」へ戻ることだけが祈念されている。

この曲が発表されてから三年後、ガエルは小説『ちいさな国で』（加藤かおり訳、早川書房、2017）を発表する。話題になった。こちらのほうが事情は複雑だ。なにしろ、物語の大半、主人公はまだ、「小さな国」ブルンジにいる。毎日、戦火が近づいている。両親は不仲で別居状態。母親についていった妹ともあまり会えない日々だ。日常

27 ギセニ…ルワンダ西部州の都市。

には、様々な社会問題が顕在化している。「ぼく」は仲間たちと元気に遊んでいるけれど、そうした不安定な日々の暮らしは、劣悪な環境と無縁ではない。

お祖母ちゃんの住んでいる公営住宅にはルワンダ人が多かった。殺戮、虐殺、戦争、迫害、民族浄化、破壊、放火、ツエツエバエ[28]、略奪、人種差別、強姦、殺人、報復その他を逃れようと、祖国を離れた人たちだ。そして母さんや母さんの家族とおなじように、もろもろの問題から逃れてここへ来て、べつのもろもろの問題に直面した——貧困、排除、割りあて制度、外国人差別、排斥、いやがらせ、鬱、ホームシック、郷愁など難民に降りかかる問題に[29]。

主人公ギャビーの日常はしかし、もう少しの間だけ楽観的だ。金持ちの西洋人の家にたわわに実っているマンゴーを無断で取ってきて、お腹いっぱいになるまで食べ尽くしたり、夕闇の迫るなか、ボールが見えなくなるまでサッカーをやったり、雨期で水かさが増えているのに川を歩いて溺れそうになったり……。だが、まるで、地下深くに押さえ込まれていたマグマがふいに地表に噴出するかのように、突然、戦争は始まる。静寂を破って、夜中に爆発音がする。

28 **ツエツエバエ**…ハエの一種で、死に至る感染症であるアフリカ睡眠病（トリマノソーマ症）を媒介する。

29 引用…ガエル・ファイユ『ちいさな国で』加藤かおり訳, 早川書房, 2017, p.72.

その日、一九九三年十月二十一日、ぼくらはワーグナーの〈神々の黄昏〉を聴く機会に恵まれた。父さんががっしりとした太い鎖といくつもの南京錠を使って門扉を占めた。そしてぼくらに、家から出るな、窓から離れてろ、と命じた。さらに、流れ弾が飛んでくる危険にそなえて、ぼくらのマットレスを廊下に運びこんだ[30]。

ラジオでクラシック音楽がかかるのは、クーデターがあったときの「慣例」。ワーグナー[31]はクーデターを聴覚的に表象しているのだ。ワーグナーに続いて、ラジオでは、夜間外出禁止令が出されたこと、国境が閉鎖されたこと、市町村間の移動が禁じられたこと、そして、四、五人での集合が禁じられたことが、淡々と告げられる……。学校はやっとのことで再開されるけれど、ブルンジ人の生徒たちの間には超えることの困難な溝ができていた。生徒たちはフツとツチに分かれて、互いに相手を「卑怯者」と非難した。民族対立の影が子どもたちを分断する。二つの陣営のどちらかに属することを求められた。

自分が属さなければならない陣営は、子どもの名前とおなじで生まれたときにはすでにもう決まっていて、それは一生変わらない。フツか、ツチか、そのどちらかでしかありえない。表か、裏か、そのどちらかしかない。突然目の前の霧が晴れたように、ぼく

30 引用…前掲書，p.135.

31 **ワーグナー**…19 世紀のドイツを代表する作曲家。「ワグネリアン」と呼ばれる熱狂的なファンがおり、ヒトラーも心酔していた。〈神々の黄昏〉はオペラ『ニーベルングの指輪』4 部作の最後、第4部にあたる。

はあのときから理解しはじめた。それまでずっとわからなかった、人びとのしぐさやまなざしや、言い落としやほのめかしの意味を[32]。

だが事態はさらに悪化する。ブルンジとルワンダの大統領の乗っていた飛行機が撃墜され、ルワンダでは内戦が激化する。むろんブルンジもその戦火をもろに被る。主人公の少年ギャビーの母親は、祖国のルワンダ（彼女は、ギャビーの父親とは別居していた）を離れる。ギャビーの日常にも対立の激化は、友人（アルマン）の父親の殺害というかたちで入りこむ。


フランシスがやってきた。厳しい顔をして、バンダナをトゥパック・シャクール風に巻いている。やつは言った。

「ちょっと来い。みんなが待ってる」

ジノとアルマンはなにも言わずにフランシスについきしたがった。

「どこに行く？」ぼくはたずねた。

「この地区を守るんだ、ギャビー」アルマンが手の甲で鼻水をぬぐいながら言った。

なんでもないときなら、道を引き返し、ついては行かなかっただろう。けれど、戦争はいまやぼくらの家にまで侵入し、じかにぼくらを脅していた。ぼくらと、ぼくらの家

32 引用…前掲書，p.152.

族を。アルマンの父が殺されたことで、選びようがなくなった。ジノとフランシスにはこれまでさんざん責められてきた。いま起こっているあれこれの問題を、おまえは他人事にしようとしていると。けれど、起こった出来事がジノとフランシスの正しさを証明することになった。死が、ぼくらの袋道までこっそり忍びこんできたのだから。この世に安全な逃げ場はもうひとつもない。ぼくはここで、この市(まち)で、この国で暮らしている。もうほかにしようがない。ぼくは、仲間とともに歩き進んだ[33]。

「仲間とともに歩」く先には、さらに悲惨な事件が待ち受けている……。そのカタストロフについてはここには書かない。書けない。破局に至るまでに小さな道こそが、小説『ちいさな国で』の命脈だと思うからだ。「袋道」とは、ギャビーたちが育った小さな楽園のような路地。結局、ギャビーは「この国」を、「この市」を離れて、フランスに移民としてやってくる。父親が「ぼく」を見送ったときに振っていた手、小さな手を思い出す。その父親は死んだ。物語の最後の最後で、ギャビーはブルンジに、あの住んでいた「袋道」に一度だけ、戻る。

袋道に行ってみた。もう二十年以上経っている。ずいぶん変わっていた。地区に生えていた大きな木は軒並み刈り倒されてなくなっていた。太陽が日中の市(まち)に重くのしかか

33 引用…前掲書，p.234-235.

っている。かつてはてっぺんに割れた瓶のかけらや有刺鉄線を乗せていたコンクリートブロックの壁はブーゲンビリアの色鮮やかな生垣に替わっていた。袋道はもはや埃っぽい陰気な通路にすぎず、名前をもたない人たちが門を閉ざして暮らしていた[34]。

ここに至って、小説『ちいさな国で』はようやく、あの曲〈小さな国〉と同じ地点に到達する。郷愁。あの印象的なラップを聴いた私たちは、小説を経由することで初めて、彼の郷愁がどこまでも苦いものであることを知る。民族間の憎悪に巻き込まれ、身を焦がす後悔に焼かれるようにして、産み出された曲であることを知るのだ。小説の最後にこんな言葉が挟んである。

これからの人生をどうするか、自分でもまだわからない。さしあたってはこの地に残り、母さんの面倒を見て、具合がよくなるのを待とうと思う。／陽が昇り、ぼくはこの物語が書きたくなった。それがどんなふうに終わるかはわからない。けれど、どんなふうにはじまったかは憶えている[35]。

そう、この物語ははじまりの物語だった。どんなふうに終わるか、心配する必要はない。ここから始まった、というだけで充分だ。ブルンジや、一九九〇年代にあれほ

34 引用…前掲書，p.248.

35 引用…前掲書，p.252.

ど世界を震撼させたルワンダの内戦の様子を文学作品として結晶化したものは数多くない。三十年近い時間が経過した今になっても、だ。そう考えるとき、小説『ちいさな国で』の果たしている役割は、名前とはまったく逆に小さくないのだ。私たちはガエル・ファイユというラッパーであり小説家でもある存在が「これからの人生をどうするか」、遠くからじっと眺めていようと思う。

二〇二〇年、ガエル・ファイユは本当に久しぶりに二枚目のアルバムをリリースした。《Lundi Méchant（意地悪な月曜日）》というタイトル。二曲目の〈Respire（息をして）[36]〉を少しだけ訳す。

目を開けたまま、ベッドで眠れない
時間だけが過ぎてゆく
車のヘッドライトが天井に、ダンスするような
車の影を映し出す
夜は息がつまるようで、熱気が体に重い
雷が中断したままだ
夢はどこにある？　子どもたちの夢はどこに？

36 Respire…YouTube 公式チャンネルで視聴可。
https://www.youtube.com/watch?v=NxPbrOWbltE

（リフレイン）

あなたは息切れしている（息をしろ）
何ものも簡単ではないとき（息をしろ）
道に迷ってさえ（息をしろ）
そして、すべてが悪くなるとき（息をしろ）

ガエル・ファイユは少しずつ歩いている。全身が重くて、物事が容易に進まないときでも、ひとまず息をする。一息つく。静かに息を吐く。とても彼らしいリリックだ。無理に進まない。ちょっと休んで、そしてまた歩き始める。歩き続ける。

ネクフ　さまよう魂たち

東京の、神田の街を歩いている。

端正な顔立ち。始終、煙草を吸っている。マイルド・セブンみたいだ。日本で買った煙草。あまり銘柄に拘泥はないのかもしれない。夜明け。いつものようにフードを被って、うつむき加減なので、彼がフランス人であり有名なラッパーであることも、周りの人にはわからないだろう。彼が渡る橋から規則正しく走る電車が見え、そのなかにはたくさんの人が詰まっている。

リリックが書けない。書いても満足のいく言葉がない。だから転地した。日本に行けばリリックが書けると思った。チームと一緒に神田の、ごく和風のアパートを借りた。畳の上に、蒲団を敷いて生活する暮らし。日本では珍しくないが、夜中にコンビニで買い物をして、酒を呑み、やはり脱出できないスランプに苦しむ。散歩する。明け方になる。言葉は降りてこない。俺はいったい何をしているんだ、と彼、ラッパーのネクフは考える……。

Netflix で配信されていた『さまよう星たち』というドキュメンタリー映画（二〇二二

年一月、配信終了）で、ネクフは自らの苦悩を隠そうとしていない。自分が繰り出すリリックを自分で気に入らない。何かしっくりこない。リリックは書いている。毎日少しずつ。ただ書きあがっても達成感がない。充実した言葉にめぐり合えていない。どうしてなのか？　わからない。何かが決定的に足りない。どうして自分は東京にいるのか？　ずっと東京に来たかった。長い間の願いがかなったのに、何もいいところがない。映画の前半はネクフの悩む姿ばかりが映されている――。

ネクフ。一九九〇年、南フランスのニース生まれ。父親はギリシャ人、母親はスコットランド人。十一歳のとき、パリ十五区に引っ越した。S-Crewというバンドの一員としてキャリアをスタート。パリ周辺のラップ・バトルで頭角を現わす。最初のアルバム《Feu（火）》がリリースされたのは、二〇一五年。「ベスト・アーバン・ミュージック・アルバム」をヴィクトワール・ド・ラ・ミュージックで受賞し、一躍注目の的に。シルヴェスター・スタローン[37]の映画『クリード[38]』（邦題は『クリード　チャンプを継ぐ男』）のフランス版の音楽を担当した。二〇一六年にセカンドアルバム《Cyborg（サイボーグ）》をリリース。順風満帆に見えた。だが、たぶん何かが違ったのだ。

音楽制作から少し離れた。このドキュメンタリーはネクフの苦悩からスタートしている。そこが、他の映画やドキュメンタリーとは違うところだ。もし、こうした苦悩

37 シルヴェスター・スタローン…アメリカのアクション映画を代表する俳優、映画監督。大ヒット映画シリーズ『ロッキー』『ランボー』の主人公を務めた。

38 クリード　チャンプを継ぐ男…『ロッキー』シリーズのスピンオフ作品で、ロッキーのライバルであったアポロ・クリードの息子であるアドニス・クリードを主人公とした物語。タイム誌が選ぶ「2015年の映画トップ10」では第8位になった。

を映していて、最終的に音楽制作ができなければ、映画もそこでストップしてしまう。誰が失敗の連続を見続けたいと思うだろうか。だから、このようなドキュメンタリー映画を作ることそれ自体が、ネクフの自信の表出でもある。

外国で暮らしたい
定まらぬ暮らし
郊外で暮らし

第31回ヴィクトワール・ド・ラ・ミュージックに現れたNekfeu（写真提供：Paul CHARBIT / Gamma-Rapho via Getty Images）

パリにも住んだ

〈Les étoiles vagabondes（さまよう星たち）[39]〉（2019）という曲。冒頭、ネクフはそう歌う。「最近のニュースは知らない／成功だけじゃ満たされない／自信があればこんな映像作らない」。ネクフは自信がないのか？　八万人を熱狂させるライヴを成立させることのできるミュージシャンが、自信がない？　いや、そうじゃない。この映像を成立させているのは、あくまでも事後だ。音楽が完成して、リリースすることができたからこそ、このドキュメンタリーに意味が生まれている。だから自信がないというのは嘘。ただ、冒頭からずっと世界の各地を経めぐる旅や、それが撮影された空間は、アルバムが完成するかどうか、不確かななかで成立していたはず。編集は事後としても、映っているのは、音楽から離れて、リリックに苦悩する青年の姿以外の何ものでもない。

ネクフたちは、アメリカにいる。ハリケーンの「ネイト」が彼らの仮の居住地ニューオーリンズを直撃する。嵐のなかで、ストリート・ミュージシャンと知り合う。たまたまニューオーリンズに遊びに来ていたジェレミーというミュージシャンにトランペットを吹いてもらう。アルバム製作は続いている。ジェレミーの吹く楽器の音に触

39 Les étoiles vagabondes…Spotifyで視聴可。https://open.spotify.com/track/01dqWNKgM2ujxu7HacaQwI?si=7bffa1a4ef334ebf

発されるように、ネクフのなかから言葉が溢れてくる。

premier pas（最初の一歩）[40]

（中略）

嵐のなかでトランペットを吹く
新聞を信用している俺はビショ濡れ
ハリケーンが去ってあたりは水浸し
故郷を遠く離れ、身震いする感傷
大事な人たちとの記憶と祈りが頼りだ
死の予感が突然愛を呼び覚ます
尊大なヨーロッパ人は自然の驚異を忘れ、
頭の中がトルネード、君を想い出す

だが、たぶんこの段階でもネクフの言葉には力がない。トランペットやパーカッションの音に触発されるようにして、言葉は漏れてきているけれど、それはネクフの言葉として深く刻印された言葉ではない。故郷を遠く離れている。ヨーロッパを離れている。離れていることで何かが起きたのか。日本ではどうだったのか？　故郷から離

40 Premier pas…Spotifyで視聴可。https://open.spotify.com/track/3Q35CdXXoyb2AxDghgadZZ?si=d4e5f2456d9c4940

れてしまうことの絶望感を、ネクフは感じ取っているのか。画面からはわからない。曲はどんどんたまっている。できている。アルバムは早晩完成するだろう。画面はそれ以上の焦燥感を滲ませることはない。だが、果たして……。

ネクフの愛する東京やニューオーリンズ。そこに行くことは旅でしかない。そうではない感覚をどうすれば経験できる？ ネクフは映画の最後、彼の旅の出発点でもあり終着点でもあるギリシャへ向かう。ギリシャは彼の祖父が住んでいた場所だ。ミティリーニという島。そこではしかし「深刻な移民問題」が起きていた……。

ネクフたちは、ものすごい数の救命胴衣が積まれた、小さな山のような場所にいる。ネクフ以外に、ある男が立っている。救命胴衣の、くすんだオレンジ色のなかに立っている。その男が回想する……。

「二十五年前、この島に難民が漂着したことがある。俺たちは問題なく受け入れた。なぜなら彼らは助けを必要としていたからだ。なぜやって来たのかではなく、なぜ国を捨てたのかが問題だ。国を捨てることを非難する人もいる。だが子どもが爆死する国にいられると思うか？（男はネクフをじっと見ている）。数日前、写真家と海に出て十五人が乗ったボートを見つけた。赤ん坊もいた。泣いていた。救助に来た、ということ、ある女が携帯を取り出し、三人の子どもの写真を見せてくれる。前日、船が難破して子どもが二人溺死した、と言う。遺体がここことトルコに漂着した、と。あれは本当に現実だったのか（と、その男はふいに目を落とす）……」。

　救命胴衣のオレンジがとてもみすぼらしく見える。ネクフは自身のルーツの島で、移民の痕跡に触れる。現状を語る男の言葉を、黙って聞いている。何も言わない。ネクフは彼らのことを歌うのか。

　結局、映像のなかでネクフが移民たちのことを語ることはない。それに、ネクフのリリックは抽象的だ。彼のスタイルなのだと思う。具体的な経験をそのまま表出することは稀で、ネクフは少しひねりを加えた抽象的な言葉を繰り出すラッパーだ。

旅に出たのは本質を探していたから。でも答えは自分の中にあった。ラップでは答えは見つからないけど、俺の内側の答えを砕いて、歌のなかにちりばめる……。そんなことをネクフは歌う。ラップするのだ。

　ドキュメンタリーにはライヴのシーンがほとんどない。あるのは、世界を旅して、移民たちの痕跡を辿るネクフの姿だけだ。だが、それこそがこの映像の目的。ネクフが移民になることはない。彼が見るのは移民たちが通り過ぎた轍にすぎない。それを確認することでしか、ネクフは次のステージに進むことができない。そこから何を汲み上げるのか。

　二〇一九年六月に、サードアルバム《Les étoiles vagabondes（さまよう星たち）》発売。フランスのみならず、ベルギーでもスイスでもチャートで一位を獲得。彼の飛躍を示

41 Dans l'univers…Spotify で視聴可。https://open.spotify.com/track/2PYXOG6GdxF9sUIH2N-fOAD?si=7473d7f911294436

すアルバムとなる。うちの一曲、〈Dans l'univers（宇宙で）[41]〉はこんな歌だ。

宇宙のなかの、この地上には何十億の生がある。人間は七十億人
おそらく三十億が女性たちだが、俺が求めているのは君
あなたは空虚に悩まされてる、あたしはあなたの生き方が大嫌い（女性パート）
あなたにはあなたの欠点があるけれど、あたしが求めているのはあなた（女性パート）
たくさんいるけれど、一人しかいない、それが君
あたしはあなたの知らないものを知っている（女性パート）
俺は、一緒にいても幸せじゃないってことを知ってる
あたしたちは、怨みが人と人を隔てる、そんな人たちの傍らにいる（女性パート）

女性の声は、フランスを代表する俳優ヴァネッサ・パラディ[42]（いまはリリー＝ローズ・ディップの母親、という紹介のほうが理解されやすいかも）。この曲は大ヒットした。この曲を含むアルバムの成功はしかし、右の曲にあるような屈折した男女の愛情に拠るのではない。このアルバムには、世界中を旅して得たものが詰まっている（はずだ）。「俺のチームでは、警察が職務質問しないのは、俺だけだ」と歌う〈Cheum[43]〉という曲もある。黒人と白人、男性と女性のあいだの平等性は壊れている、とあるインタビューでネクフは語っている。「ああ、そのとおり」と認めたうえで、私はネクフに訊き

42 **ヴァネッサ・パラディ**…フランス出身の歌手で女優。1987年のデビュー曲「夢見るジョー」はフランスで11週連続1位を記録。舌足らずな声とロリータ的な雰囲気で人気を博した。

43 **Cheum**…YouTube公式チャンネルで視聴可。
https://www.youtube.com/watch?v=eZC2Ohdk-wI

返したい。もっと、ほかに表現はないのか？　あなたが世界中を旅して手に入れた言葉は、ほかにどのようなものがあるのか、と。

Ola Kala（万事好調）

現世ではひどいことが多いから、不平を言うのをやめる
不幸もたくさん、撃たれたりもしたけど、俺は死んでない
文句を言うのをやめる、チャンスを掴め、俺たちは人間だから
自分に対して厳しく、他人には寛容に
現世には最悪なことが溢れてるから文句を言わない
不幸はいっぱい、撃たれたけど、俺は死ななかった
俺の家ではみんなが腹を空かせてるけど食べている、だから不平は言わない
うまくいかないとき、跳ね返すだけの力をつける
愛は無だ、でもうまくいく、もうすぐだ

私はネクフに話しかける。「言いたいことはわかるし、パンチラインが日本語に訳したときにほぼ魅力を失ってしまうのは申し訳ないとも思う。でも、もっと何か、ぐ

っとくる言い回しとかライミングじゃなくて、ノーガードで現実に触れるような、なんか、そんなラップを聞きたいんだけど」。
そんな言葉をネクフは書いているのか。

Oui et non（ウイとノン）[44]

俺は人間を信じるのか？　俺は「ウイ、そしてノン」と答える
それは俺たちの失敗か？　俺は「ウイ、そしてノン」と答える、ノン、ノン、ノン
ウイとノン、ウイ、ウイ、ウイとノン
薄紫色の札びらで、どれくらい支払う準備ができた？
お前が小さかった頃の夢追い人は死んだのか？
俺に希望はあるか？　俺は答える「ウイ、そしてノン」。
ノン、ノン、ノン
ウイとノン、ウイ、ウイ、ウイとノン

ネクフはこうも自問する。「俺たちの国は、アフリカに対して負債を負っているのか？　ウイ／ノン、ノン、ノン、ノン、俺たちは平等に生まれたんじゃない／たしか

44 **Oui et non**…Spotify で視聴可。https://open.spotify.com/track/2Aon31CR3MV3Kt3vczK9Xf?si=d5236484ddfb4e05

に、すべての契約が交渉から始まっている（ウイ）」。
ウイとノンが交互に現れる。そうだし、そうではない。ウイと答えることとノンと答えることは同居している。どこに？　ネクフの裡に。ネクフは答えることができない。いや、答えている。イエスであり同時にノーでもある、と。そう答えることは問いを無効にする。どちらでもあり、どちらでもない。だが、そうとしか、たぶんネクフは答えられない。答えられないからこそ、この歌を作っている。正直なのかどうかわからない。正直なのかどうかに、私は関心がない。だが、人間を信じるのか？　と言われて、ウイかノンか即座に答えられるラッパーを私は信じない。ネクフは答えられない。答えられないことを歌にしている。そこに、ネクフというラッパーの魂の揺れをみる。旅をして、魂を作り替えること。魂の殻を壊して、魂を揺らすこと。ネクフの旅は始まったばかりなのかもしれない。

「私はさまざまな世界を旅して、そのたびに自分を創造する。そして私が自分自身の自由の輪を回し始めることができるとすれば、それは人が歴史に従属した仮の存在にすぎないという仮説を越えることによってなのだ」（フランツ・ファノン）

第六章

ラーメン、マンガ、ネイション

RAMEN, MANGA ET NATION

スズヤ「きみ」と「ぼく」の世界

何かのいたずらで、ふと耳にしたラッパーにSuzuya（以下、スズヤ）がいる。スイスのグルノーブル生まれ。白人、若い男性。フランス語で歌うラッパーには珍しく、前髪が重く垂れている感じ。マンガ『東京喰種（トーキョーグール）[1]』のキャラクターが胸に描かれたスウェットを着ている。日本語で「お前を喰らう」と書いてある。言われてみれば（そして知っている人には当然だが）「スズヤ」というステージ・ネームがすでにして『東京喰種』の登場人物・鈴屋什造（すずやじゅうぞう）からの引用であり、彼のスタンスがよくわかる。『東京喰種』へのシンパシーは強い。それだけではない。きっとスズヤの心の奥には、日本文化や日本製のアニメへの深い共感が疼いているに違いない……。

Chute d'étoiles（シュート デトワール）（流れ星）[2]（一部抜粋）

ぼくはきみの心から出てきた
でもきみはぼくの心から離れることは決してない

---

1 **東京喰種**…2011-2014年に週刊ヤングジャンプ（集英社）で連載されていた石田スイの漫画。全世界でシリーズ累計4700万部を記録した。テレビアニメ化や実写映画化もされた。

2 **Chute d'étoiles**…YouTube公式チャンネルで視聴可。https://www.youtube.com/watch?v=hwr1tDIpJL8

ぼくの身体のうえにきみの名前がある
ぼくはきみのことが大好きなひとりの男の子に過ぎない

きみはぼくのものだった
でもぼくはきみを失った
そう、とてもツライ
そして、ぼくは冬が永遠に続くとき、道を見失ったと感じる

もしぼくがきみを所有していなければ、
何ももっていないのと同じ
ぼくはきみが欲しい、きみの足跡に横たわる
雨のなか、悪ガキみたいに、たったひとりで

きみがほかの人と一緒のところを二度と見なくて済むように
ぼくは眼を潰すだろう
ぼくたちの物語を生き直すために、
自分に別れの言葉を吐くだろう

（中略）

黒い空
流れ星たち
止まってしまった心臓
だが、あの少女は入ってくる
ぼくはきみのことを忘れたい、きみがぼくにつきまとうから

きみはぼくから離れないけれど、同時にぼくを避けている
きみはふらっとでかけては、ぼくに空っぽの心を残す
セックスのとき、きみはぼくの傷跡にキスをした

この曲は二〇一九年に発表されたシングル。スズヤは、この数年精力的にアルバムを発表している。ファーストは《L'amour c'est la guerre（愛は戦争）》(2020)、《Condamné（刑に処せられし者）》(2021)、そして、同じ二〇二一年の年末には、《Là où les cœurs se pendent（心が吊られているそこ）》。このアルバム自体、自殺を多く主題として扱っていて、タイトルも富士山の麓に広がる樹海・青木ヶ原にインスパイア

Suzuya《Là où les cœurs se pendent》2021年

されたもの、とスズヤは公言している……。

とにかく、曲の全体に死のイメージが溢れている。「死」という単語だけでもかなりの数にのぼる。長く生きることに意味が見出せない、とスズヤは語る。死のおびただしいイメージは、どこから来たのか。端的には『東京喰種』だろう。このマンガや原作とする映画について何かを語り得る見識を私は所有していないが、捕食、つまり人間を喰らう、という一点において、マンガのもつ、死への破壊的な力は十分にスズヤの精神に衝撃を与えたと推測する。喰って、殺すこと。そのダークな主題系に、スズヤは見事にハマっている。一言で言えば、彼の没入感が凄まじい。

これまで日本のアニメやマンガがヨーロッパで人気だ、と様々なかたちで語られてきた。むろん単に抽象的なだけではなく、その人気に対して賛否は具体的に表明されてきた。暴力シーンの放映反対のデモも起こったことがある。爆発的な売り上げを記録したマンガも少なくない。しかし、それはマンガを登場人物になって生き直すこととは次元が違った。たとえば、ネクフ[3]にも『東京喰種』の主人公・金木研(かねきけん)のことをラップした〈Ken Kaneki〉という歌があるが、スズヤの没入感とはまるで違う。ラッパーはマンガの中に入っている。スズヤの〈流れ星〉はひたすらパセティックな曲調の果てに、執拗に韻を踏みながら、特定の語彙を反復しつつ、聴く側との間合いを詰めていく歌い方で、リスナーの心を鷲掴みにする。歌われているのは、「きみ」と「ぼく」の世界。二人しかいない世界。でも死のリアリティがほかのどんな概念よりも身近に感じられる世界でもある。その世界の構築に、日本のマンガやアニメは重要な役割を果たしている。スズヤのラップを聴きながら、私はその意を強くする。

たとえば「ラーメン」という言葉。

ネクフは、日本を愛している、日本のラーメンが大好きだ、といろいろな場面で口にする。IAM[4]は〈Omotesando[5]〉という曲のなかで、東京・明治神宮の表参道でラーメンを食べる楽しみについて言及していたりする。だがそれは日本でラーメン文化に触れることの享楽を述べ、ラーメン好きを宣言する、ということである。それはそれでまったく構わないし面白いのだが、彼らの世界を根底から変えるものではない。ラーメン、いいよね、うまいよね、というやりとり以上のものはそこから導き出されない。

---

3 ネクフ…詳細は p.336 を参照。

4 IAM…詳細は p.24 を参照。

5 Omotesando…YouTube 公式チャンネルで視聴可。https://www.youtube.com/watch?v=Y3fo7eROqMc

たとえば「ヒップホップ・ネイション」という考え方がある。国境線に分断され、現実には諸言語に分割されているかもしれないが、ラップする者は常に「ヒップホップ・ネイション」に属していて、そのかぎりにおいて、オレたちはひとつのネイションの住民なのだ、という考え方だ(少しヴァルター・ベンヤミンの言語観に似ている)。いまもこの思想が生きているのかどうかわからないが、スズヤの曲を聴きながら、ここで歌われている世界は、日本でもフランスでもスイスでもないんだな、と思った。どこかの国の、その国の色を深く刻んだ文化があるとして、その文化はしかし、いつか混ざり合い、痕跡を残しながらも別の色合いに変化する。固有性を主張するのではなく、緩く混ざることで繋がり、自らが複数の存在であることをはっきりと示す。人種とか、言語とか、領土とか、いわば「先験的なアイデンティティ」(ホミ・バーバ[6])なんかどうでもいいじゃん、という感じが色濃く漂う。「くりかえし差異化され書き換えられる時間」(同)が導入されることで、そのネイションはいつもざわめきに満ちた、落ち着かない空間になっているかもしれない。

しかしその落ち着きのなさこそが命綱なのだ。歴史なんか、どうでもいい。この瞬間、彼の/彼女のラップ、あるいはそんなジェンダーに振り分けられない人々のラップは、私たちヒップホップ・ネイションの住民の求めに応じて、書き換えられ、繋ぎ合わされ、そして浮遊する。

6 ホミ・バーバ…20世紀のインドの文学者。著書に『文化の場所―ポストコロニアリズムの位相』などがある。

「個人という存在が生のたえまない確認のうえに成り立っているように、ネイションの存在もまた、たとえて言うならば、毎日おこなわれる人民投票にもとづいている」（エルネスト・ルナン[7]）。

百年以上前に、フランスの思想家の記した言葉は、まったく別の文脈を見事に生きている。

7 **エルネスト・ルナン**…19世紀のフランスの思想家。近代合理主義の立場から発表した『イエス伝』などが有名。引用は、1882年に行った「国民とは何か？」という有名な講演より。

いま・ここにあるネイション

二〇二一年の秋。コロナ禍でオンライン授業を余儀なくされていた某大学の授業は、感染者数の減少によって「対面」形式での再開となった。教室に集まった学生は三十人強。オンラインで参加している学生数もほぼ同数。これから始まる半年の授業内容を説明し、次週からの予告を（わりとじっくりと）解説して早めに授業を終える。

一番うしろの席に座っていた学生（NEW ERAのキャップを目深に被っている）が、ゆっくりと近づいて来て、スマホの画面を私に見せる。

「この曲、知ってますか？」

知らない曲だった。フランスのラップについてもできるかぎり詳細に話す、と学生たちの前で見栄を切ったばかりだった。知らないとは言いにくかったが、正直にそう告げる。

「この曲、オレの好きな日本のラッパーKOHH（コー）[8]が歌ってるんです、フランスのラッパーと一緒に。Kekra（以下、ケクラ）というのがそのフランス人ラッパーの名前で、そいつ、どうも写真で見るかぎり、かなりヤバい感じで、どんなことを歌っているの

8 KOHH…1990年生まれ、北区王子出身のラッパー。2014年のデビュー以降、国内外で注目を集める。2020年に引退を発表。

か、さっぱりわかんないけれど、KOHHが歌っているから、もう二年間ずっと聴き続けていて、できれば訳してもらえないかと思って……」

学生のキャップと耳の間から、金色の髪がのぞいている。ケクラは、サングラスにマスク。フードを被っている。どんな顔なのかさっぱりわからない。ときにはガスマスクを着用していることもあるらしい(かなり調べたが彼の個人的なプロフィールは不明)。学生が教えてくれたその曲、〈Kohhkra (feat. kohh)〉は、こんな歌だ。

KOHH:ゼロか百なくすか、増やすだけ
全額ベット　この人生が賭け
オール・イン、オール・イン、アイヴ・ビーン・プッティング・オール・イン、
オール・イン
Kekra:何もオレに衝撃を与えることはない
知っての通り　ここではすべてが凡庸だ
KOHH:ガラスの瓶の中にマリファナ
カード使い、砕く白い粉
KOHH:君に異常　でも普通のことだ

驚くほど、ケクラとKOHHの声が似ている。いや、声じゃない。ラップの仕方が似ている。意味を犠牲にして最小限に削られた音をリズムに乗せる、その仕方。フランス語はおろか、日本語もほぼ意味の連なりとして聞き取れない。右は歌詞を掲載しているウェブページを見てそれなりに意味の繋がりとして認識できる箇所を訳しただけだ。「お前は死んでいない」「お前はしかし時代遅れだ」……ときどき、わかる言葉がある。大半は理解できない言葉が続く。どちらかというとKOHHのリリックのほうがわかる。日本語をアルファベットで表記しているから、かもしれない。大意を述べれば……。パリのファッション・ウィークにやってきた、ユーロ（紙幣）を巻いて鼻から吸った、金があればあるだけ使ってしまう、でもすぐに増やすさ、倍々に、（隣に座ったモデルに向かって）きみはタイプだ、だけど愛なんてこれっぽっちもない……。そんなことをラップする。しかし、繰り返しになるが、ここで歌われていることに意味はない。

とすれば、二年間もこの曲を聴き続ける、とはいったいどういう事態なのか。ときどき聞こえる日本語に惹きつけられている？　フランス語の響きとぶつかるKOHHの切れ切れの日本語がクセになる？　それともケクラのパンチラインがカッコよすぎる（意味を理解しない外国語でも、パンチラインはわかる）？

そのどれでもあるだろう。あるいは、すべてが理由かもしれない。わからない。まるでわからないのだが、この音楽を聴き続ける私たちは、間違いなく、ヒップホップ・ネイションの住民なのである。日本でもフランスでもない。いや、日本でありフランスでありながら、たぶんどちらか一方ではない場所に、私たちはいる。二つの国の言葉を用いながら、そのどちらにも帰属しない感覚を共有している……。私たちのいまとここが、ラップにはある。

あとがき

旅行が好き、というよりもむしろ、スーツケースを持って移動することを億劫に思う気持ちのほうが強いのだが、それでも、コロナ禍以前は年に一度くらい旅に出ていた。この五年で訪れたところのうち、印象的な場所を記せば、アンタナナリヴ（マダガスカルの首都）にとにかく圧倒され、リスボン（ポルトガル）では、詩人のフェルナンド・ペソアの通ったカフェで鰯を喰らい、ランス（フランス・シャンパーニュ地方の都市）では、地下を迷路のように走るカーヴで極上のシャンパンを試飲した。金はあったり、なかったり。その場でいつも思いつきのことをするだけだが、どの街へ行っても必ずすることがある。街に流れている音楽に耳を傾けること。まったくその言語が理解できなくても本屋に入ること。そして、週末が来たらサッカーを観ること（スタジアムに行くことも）。音楽と書物とサッカーに浸る。いつもの日常と言えば言える。これ以外の享楽を知らないのだから仕方がない。

どの街でも、ラップはいつも聴こえてくる。聴こうとしているからかもしれない。世界じゅう、どこでも私の耳に飛び込んでくる。本書でずっと書いてきたように、フランスも例外ではない。いや、フランスは私が訪れたどこよりもラップが聴こえてくる国になった（英語圏には行かないから、すごく偏った見解であることは承知している）。この十年で、フランスのラップは大きく変貌したと感じている。移民や移民系の若者が作りだす音楽、という既成概念を壊した。ポピュラーになった、ということだ。多様化し、拡散した。

そんな印象を授業でも話す。大学で講義することが仕事。文化論や異文化理解といった硬めの講義でも話す。たしか二〇〇五年の「暴動」のさいは、政治家たちの、ラッパーに暴動の要因を求める議論に怒り心頭、キャラに合わない感じで強い批判をした覚えもある。

二〇二〇年になって、その当時大学生だった人物から連絡を貰った。フランスのラップについて話してほしい、とのことだった。webの「トイビト　学問する人のポータルサイト」でそのインタビューは記事になったのだが、連絡してきた、その人物こそ富永玲奈さんで、この本の生みの親である。インタビューののち、彼女が今度新しく出版レーベルを起こすので、できればフランスのラップについて書いてほしい、という依頼のメールを新たに送ってきたのが、二〇二一年の春。大学で聴いた内容の続きを読みたい、と言われて（正確にはそうは言わなかったかもしれないが、そう受け取った）、続きを書かない教師はいないのではないか。立ち上がったばかりの新鮮な出版レーベルで、私のような売れない物書きの書物を出して大丈夫なのか、という危惧はもちろんあったが、この五年くらい次々と刊行される有名ラッパーの伝記や研究書を（半ば熱病のようにして）集めてきた身としては、渡りに船のごとき話でもあった。

私もそうだが、「あとがき」から読む癖のある人も多くいると思うので、「はじめに」に書いたことを周到に（！）繰り返しておく。できれば、この本を読みながら脚注に掲載したQRコードを読み取って音を出して欲しい。ほんとうにカッコいい曲ばかりだ。声とフロウとリズム。ラップはこの三つが命だ。極端に言えば、言葉を打楽器だと思ってもらっても構わない。意味はあとでいい。意味のさらにそのあとに、社会がくっついてくる。そこのあたりをこの本で摑まえてくれればいい。そしてできれば、日本語ラップしか聴かないリスナーにも、この小さな本が届きますように。

最後に謝辞を。出版レーベル「Après-midi」の富永玲奈さん。真夜中（ミニュイ）じゃなくて、午後（アプレ・ミディ）というのがいいよね、と富永さんもよく知っているフランス文学者と先日話しました。私もそう思います。書物のレイアウト全般を担当してくれたbicamo designsの齊藤穂さん。丁寧に註釈をピックアップしてくれた朝倉由貴さん。ほぼ同世代の編集者やデザイナーの方々と仕事することの多かった人間にとって、新鮮な感動がありました。そして意味の多層化するラップのフランス語（ラップ語といってもいい）を理解するには私のフランス語力はあまりに乏しく、最後の最後になって知人のヴェスィエール・ジョルジュさんに、訳文と原稿のチェックをお願いしました（もちろん誤訳の責任は全面的に私にあります）。本を作る行為が個人のものだと思ったことは一度もありません。みなさんの協力のおかげで、なかなかない本ができたと思います。ありがとう。

そしてなにより、この本を手に取って読んでくれた読者の方々へ。私が言及したラッパーがすべてではありません。もっと魅力的なラッパーがいるはず、と思ってくださいさい。そしてあなたがたの嗅覚で探し当ててください。この本がそのための一助となれば幸いです。

二〇二二年三月
陣野俊史

[第 3 章]
Grand Corps Malade, *Patients*, Don Quichotte éditons, 2012
Abd Al Malik, *Qu'Allah bénisse la France!*, Albin Michel, 2004
Abd Al Malik, *Place de la république Pour une spiritualité laique*, Indigène éditions, 2015
Abd Al Malik, *Méchantes blessures*, Plon, 2019

[第 4 章]
Vikash Dhorasoo,*Comme ses pieds*, Seuil, 2017
Assa Traoré, Elsa Vigoureux,*Lettre à Adama*, Seuil, 2017
Assa Traoré, Geoffroy De Lagasnerie,*Le Combat Adama*, Stock, 2019
Sylvain Bertot,*Ladies First une anthologie du rap au féminin*, Le Mot et Le Reste, 2019
ヴィルジニー・デパント『キングコング・セオリー』、相川千尋訳、柏書房、2020 年
パトリース・カーン＝カラーズ＋アーシャ・バンデリ『ブラック・ライヴズ・マター回想録』、序文アンジェラ・デイヴィス、ワゴナー理恵子訳、新田啓子解説、青土社、2021 年

[第 5 章]
Maître Gims avec Eugénie Guazco,*Vise le soleil*, Fayard, 2015
ガエル・ファイユ『ちいさな国で』、加藤かおり訳、早川書房、2017 年

[ラップ・フランセの通史として]
Anthony Pecqueux,*Voix du rap, Essai du sociologie de l'action musicale*, L'Harmattan, 2007
Akhenaton avec Eric Mandel,*La face B*, Don Quihotte éditions, 2010
Karim Hammou,*Une histoire du rap en France*, La Découverte, 2012
Laurent Bouneau, Fif Tobossi, Tonie Behar,*Le rap est la musique préférée des Français*, Don Quihotte éditions, 2014
José-Louis Bocquet, Philippe Pierre-Adolphe,*Rap ta France Histoires d'un mouvement*, La Table Ronde, 2017
Vincent Piolet,*Regarde ta jeunesse dans les yeux Naissance du hip-hop français* 1980-1990, Le mot et le reste, 2017

主要参考文献

［序章］

Jean-Claude Perrier, *Le rap français Dis ans après*, La Table Ronde, 2010

IAM, *Entre la pierre et la plume*, Stock, 2020

［第 1 章］

Thomas Blondeau, Fred Hanak, *Combat Rap II 20 ans de Rap français / entretiens*, Castor music, 2008

Pascal Boniface, Médine, Don't Panik, Desclée de Brouwer, 2012

Mélanie Georgiades, *Mélanie, française et musulmane*, Seuil, 2015

Alexandre Chirat, *Booba Poésie, musique et philosophie*, L'Harmattan, 2015

Mehdi Maizi, *Rap français*, Le mot et la reste, 2016

Manu Key,*Les Liens Sacrés*, Faces Cachées, 2020

VKY, *Booba analyse d'un discours post-colonial* 1995-2017, éditions Canaan, 2020

［第 2 章］

Bettina Ghio, *Sans fautes de frappe, rap et littérature*, Le mot et le reste, 2016

Bettina Ghio, *Pas là pour plaire! Portraits de rappeuses*, Le mot et le reste, 2020

Kery James, *A Vif*, Actes Sud-Papiers, 2017

Marie-Catherine Astrid, *La Négritude et le rap engagé de Youssoupha*, 2017（論文）

Alain Wodrascka, *Orelsan Le Rimbaud du rap*, L'Archipel, 2021

Antoine Lucciardi, *Orelsan entre ombres et lumières*, City Editions, 2021

エメ・セゼール『帰郷ノート　植民地主義論』、砂野幸稔訳、平凡社、1997 年

アラン・バディウ『サルコジとは誰か？』榊原達哉訳、水声社、2009 年

マブルーク・ラシュディ『郊外少年マリク』、中島さおり訳、集英社、2012 年

中村隆之『エドゥアール・グリッサン』、岩波書店、2016 年

島崎ろでぃー写真　ECD 著『写真集ひきがね　抵抗する写真×抵抗する声』、ころから、2016 年

ヴュー・サヴァネ、バイ・マケベ・サル『ヤナマール　セネガルの民衆が立ち上がるとき』、真島一郎監訳・解説、中尾沙季子訳、勁草書房、2017 年

鈴木望水「ケニー・アルカナ　あるいは、革命の詩聖女」（Web）

魂の声をあげる
現代史としてのラップ・フランセ

2022年5月9日　初版第1刷発行

著者　陣野俊史
装丁・本文デザイン・組版　齊藤 穂（bicamo designs）
編集協力　ジョルジュ・ヴェスィエール
朝倉由貴
カバー画像　MikeDotta / Shutterstock
発行人・編集人　富永玲奈
発行所　アプレミディ
〒162-0067
東京都新宿区富久町1-9-406
TEL 070-8356-0868
FAX 03-6733-7666
https://apresmidi-publishing.com
印刷・製本　株式会社シナノパブリッシングプレス

ISBN978-4-910525-01-3